LA FOLIE
DU VIN

YVES MICHAUD

LA FOLIE DU VIN

Préface de Jacques Benoit

Libre Expression

Données de catalogage avant publication (Canada)

Michaud, Yves,

La folie du vin

ISBN 2-89111-448-5

1. Vin. I. Titre.

TP548.M43 1990 641'.2'2 C90-096485-5

Design graphique : Graphisme Lavalin 1990

Illustrations et graphisme : Marie Garand, Louise Sébastien

Maquette de la couverture : France Lafond

Photocomposition et mise en pages : Tapal'oeil inc.

© Éditions Libre Expression

2016, rue Saint-Hubert

Montréal (Québec), H2L 3Z5

Dépôt légal :
4e trimestre 1990

ISBN 2-89111-448-5

En souvenir de mon père,
qui aurait aimé boire
quelques-unes des bonnes
bouteilles décrites dans cet ouvrage.

SOMMAIRE

V

DE LA DÉGUSTATION *107*

V I

DOULCE FRANCE *141*

V I I

MONOPOLE DE MES AMOURS! *167*

V I I I

ÉPILOGUE *185*

Le vin est fils du soleil et de la terre, mais il a eu le travail comme accoucheur. Comme les grandes œuvres et les grandes pensées, il ne sort pas du pressoir tout prêt pour être englouti par un estomac avide et distrait. Il lui faut la collaboration de l'art, de la patience, du temps et de l'attention.
Il lui faut un long séjour dans la nuit pour arriver à ce chef-d'œuvre de chaleur où le cerveau trouve autant d'émerveillement que le palais.
Le vin est le professeur du goût et en vous formant à la pratique de l'attention intérieure, il est le libérateur de l'esprit et l'illuminateur de l'intelligence.

Paul Claudel

PRÉFACE

PAR

JACQUES BENOIT

« QUE SERAIT L'HOMME sans le vin ? » demande la Bible.

Le propre de cette question en apparence toute simple — comme d'ailleurs toutes les grandes questions — est de nous plonger dans des réflexions sans fin, profondes comme un grand vin, si on veut bien me permettre l'expression. L'air de n'y pas toucher, elle nous rappelle, ainsi, combien vivre peut être parfois difficile, c'est-à-dire à quel point on est parfois harassé à la fin d'une simple journée de travail, ou encore quelles souffrances chacun endure, souvent à l'insu de tous, dans son for intérieur.

La même question évoque par un raccourci saisissant (le deuxième membre de la phrase : « sans vin ») les multiples bienfaits qu'on tire d'une consommation raisonnable de cette extraordinaire boisson, la plus merveilleuse de la création : détente, sérénité, enthousiasme, accélération de la pensée, etc. Un ou deux verres de vin au début d'un repas, après une journée si difficile ait-elle été, et notre fatigue commence à s'estomper. Cette heureuse régénérescence que procure le vin atteint son effet maximal lorsque le vin est de qualité, complexe, et qu'on le déguste, autrement dit qu'on le boit avec toute l'attention que sa qualité commande, en tentant d'en apprécier — par tous nos sens et notre esprit — les multiples facettes odorantes et gustatives. Le vin fait alors oublier le reste — les préoccupations, les déboires, les ennuis, les succès, etc. — et agit à plein. Ce respect et cet amour du vin, la lenteur qu'on met à le boire quand on tient à en découvrir toute la complexité, sont également des garde-fous contre ce mal terrible qu'est l'alcoolisme, et dont il ne faut pas craindre de parler, personne n'étant à l'abri.

Le vin — comme je l'ai découvert un peu par hasard en cette fin d'été 1990, en décidant de me priver de toute boisson alcoolisée pendant quelques jours, histoire de me prouver que j'en étais capable — a également, me semble-t-il, une propriété insoupçonnée. En bref, quoiqu'il s'agisse bien sûr d'une expérience tout à fait personnelle, il m'est alors apparu que le vin favorisait grandement la digestion. Sans vin (je n'en bois qu'à un seul repas, celui du soir, qui est pour moi le plus important), je me suis aperçu que je digérais beaucoup plus difficilement qu'avec du vin... ce qui tient peut-être au fait que le vin a un tel attrait qu'il favorise, chez tous ceux qui l'aiment, la salivation et les autres fonctions digestives.

C'est de tout cela que traite dans son ouvrage, à sa manière, Yves Michaud, qui va jusqu'à affirmer que le vin est «ce que l'humanité a fait de mieux sur terre, tout juste après le sourire d'un enfant». (Ce n'est pas tout à fait l'ordre dans lequel je placerais personnellement le vin, au milieu des merveilles que recèle l'univers, mais, comme pour l'auteur de *La folie du vin*, il ne fait pas de doute que la boisson fermentée du raisin compte, également à mes yeux, parmi les grandes choses de ce monde.) Cher Yves Michaud! Ex-journaliste — mais il le reste par sa chronique vinicole dans *L'Actualité médicale* —, diplomate, ensuite président du Palais des congrès de Montréal, le voilà maintenant tout barbouillé de vin, à la fois comme chroniqueur, mais aussi — il ne le dit pas dans son ouvrage, et je me permets de le signaler en son nom — à titre d'agent promotionnel, c'est-à-dire de représentant au Québec d'un certain nombre de viticulteurs et de négociants.

Tel homme, tel vin, pourrait-on dire en paraphrasant un mot célèbre, car les vins, comme on sait, ressemblent à ceux qui les font. Les géants aiment les vins généreux qui vous en mettent jusqu'aux oreilles, les aristocrates penchent pour les vins tout en subtilités, etc. Ce livre également, composé en partie des chroniques d'Yves Michaud comme journaliste vinicole, est à l'image de son auteur : vif, primesautier, touche-à-tout — il traite à la fois du vin dans la civilisation, de la dégustation, de la façon de monter une cave, etc. —, avec parfois, au détour d'une phrase, un ton un peu mondain (et amusé) de grand seigneur. Néanmoins, et c'est bien tant mieux, l'ouvrage est sans prétention. Résultat : on ne s'ennuie jamais, ce qui est bien sûr l'objectif premier que doit viser un livre, quel qu'en soit le genre. « Je vous parle ici du vin en "honnête homme", au sens classique de l'expression, plutôt qu'en soi-disant connaisseur », note son auteur, qui ajoute que ce n'est « ni un guide ni une publication savante, mais davantage un itinéraire, un voyage enchanté dans le monde merveilleux du vin ». À mon sens, on peut voir aussi son livre comme la conversation à bâtons rompus (ce à quoi tient en grande partie son charme) d'un amateur, de ces conversations comme on en entend dans les soirées, les passages qui comptent parmi les plus beaux et les plus émouvants étant ceux où Yves Michaud fait revivre, en quelques phrases aux accents discrets et évocateurs, ceux qu'il a connus et des moments pour lui inoubliables de sa vie : la dernière bouteille qu'il a bue de Romanée-Conti (ce si grand vin rouge légendaire de Bourgogne), de l'année 1966, en compagnie de Corinne et René Lévesque ; les jours où, délégué général à Paris, il recevait à sa table « les grands et les moins grands de ce monde intéressés à l'avenir du Québec » ; l'époque de ses dix ans, à l'aube de la Deuxième Guerre mondiale, pendant laquelle il apprenait, écrit-il, « une vieille chanson revancharde, symbole de la résistance de l'Alsace et de la Lorraine», etc. Et puis, chose rare, il ne craint pas de faire état de ses goûts, aussi inusités soient-ils. Par exemple — il revient sur le sujet à quelques reprises —, il aime boire âgés les plus riches des grands crus du Beaujolais, à cinq, six ans ou plus. On le lit d'abord en fronçant les sourcils, mais il a l'air si convaincu, si sûr de son fait, qu'on finit par se dire : pourquoi pas ? Surtout quand on sait quelles louanges recueillent parfois, contre toutes les idées reçues, les vieux beaujolais, de la part de dégustateurs — anglais notamment — qui ont beaucoup goûté. Il va même jusqu'à proposer de servir... avec du saumon fumé un de ceux-ci, «vieux de trois ou quatre ans dans un bon millésime, genre Moulin-à-Vent, Morgon ou Chénas»!

Le livre d'Yves Michaud, qui s'y définit lui-même comme «un amateur de bonne chère et de bons vins», fera grand plaisir à ceux, pas si nombreux, pour qui les mets comptent autant que les vins. Car, manifestement, il a goûté de multiples plats et s'y connaît, se prononçant avec assurance sur ce qu'il considère comme les meilleurs types de foie gras, la façon de servir le saumon fumé, «sans apprêts ni garnitures», ce que je compte bien essayer («L'huile d'olive, l'oignon ou les câpres masquent son goût raffiné», écrit-il), et suggérant même d'accompagner la soupe de poissons d'un Bandol rouge, ce qui me semble se tenir mieux que le saumon avec un beaujolais, ne serait-ce qu'à cause du fait que la commune de Bandol touche à la Méditerranée et que son vin, même le rouge, a peut-être pour cela les qualités voulues pour se marier à ce plat.

Ouvrage d'iconoclaste ?

Je ne dirais pas. Quoique son auteur, qui a du brio et qui a toujours aimé briller (pour faire un jeu de mots sans doute un peu facile), aime bien adopter des points de vue peu courants. Ou, à tout le moins, qu'il exprime de façon inattendue, sans doute pour secouer son lecteur et mieux capter son attention. «Avoir ou ne pas avoir sa cave ?» demande-t-il. Il répond, pour ce qui le concerne : « Je n'ai jamais eu les moyens de ne pas m'acheter de vins, à des prix raisonnables, cela va sans dire. » Cela ressemble — en plus sage — à l'habitude qu'avait Balzac, qui, en raison de la montée pour lui inéluctable des prix, dépensait des fortunes dans l'achat de meubles, de tableaux, de tapis, etc. « J'économise ! » clamait le romancier. Yves Michaud écrit encore, dans le même chapitre sur la cave : « En matière de vin, comme dans beaucoup de choses de la vie, il vaut mieux avoir des remords que des regrets. En d'autres termes, je me console plus facilement d'une bouteille qui ne remplit pas sa promesse que d'une autre dont j'ai envie et que j'ai laissé filer. » Pour peu qu'on ait des sous, c'est un conseil à suivre.

Je lui ferais toutefois quelques reproches : par exemple, de recommander aux propriétaires de vieilles bouteilles de « rebouchonner après 15 à 20 ans » (pourquoi, et comment faire si on juge que c'est nécessaire ?) ; ou encore, de « déboucher la veille » les vieux bordeaux, alors que, plus loin, il explique fort bien comment un vieux bourgogne, servi depuis trop longtemps, perd ses odeurs et « son âme ». C'est pourtant le même sort qui guette les vieux bordeaux ouverts depuis trop longtemps, comme d'ailleurs à peu près tous les autres vins âgés, non ? Parfois aussi, mais c'est fort rare, l'agent promotionnel montre le bout de l'oreille...

Son livre plaira aussi à tous ceux qui se délectent de bons mots, Yves Michaud s'amusant visiblement — et son lecteur avec lui — à user d'expressions qui font image. « Le nez est à l'amateur de vins ce que l'archet est au violon », écrit-il. Puis, « un musigny en bouche, c'est du Mozart en robe de chambre ». Il y en a d'autres... Cela fait un peu littérature vineuse passéiste, se dit-on d'abord, et puis on réalise que l'auteur, n'abusant jamais de ces images, s'en sert comme de clins d'œil, à l'adresse de son lecteur. Cela repose de la littérature œnophile actuelle qui, sans pécher par excès de sérieux, n'en est parfois pas très éloignée.

I

AVANT-PROPOS

■

Aujourd'hui l'espace est splendide !
Sans mors, sans éperon, sans bride
Partons à cheval sur le vin
Pour un ciel féerique et divin !…
Ma sœur, côte à côte nageant,
Nous fuirons, sans repos ni trêves
Vers le paradis de mes rêves !

Charles Baudelaire

« **C**ELUI QUI VIT SANS folie n'est pas si sage qu'on croit », dit le proverbe chinois. Après le premier versant d'une vie d'errances, d'éloignement de la patrie, après tous les rêves brisés et les illusions dissoutes qui accompagnent notre passage ici-bas, il me reste, *Deo gratias !* cette « folie du vin » qui me fait encore croire à la bonté des hommes et à leur capacité d'arracher à la nature une part des merveilles dont elle garde le secret.

Je ne suis pas le seul à partager cette « folie ». Qui n'a entendu parler de ce radiologue québécois qui a consacré trente ans et plus de sa vie à collectionner les meilleures bouteilles du monde, frisant l'endettement et les fins de mois difficiles, pour un Château d'Yquem, d'un millésime particulièrement réussi, raflant les minces arrivages de Romanée-Conti dans les magasins du monopole d'État ou s'envolant presto pour San Francisco à la recherche d'un introuvable Château Ausone, à une vente aux enchères.

Cette « drogue » du bon vin, ô combien douce et bénéfique pour la santé, si elle est prise en quantités raisonnables et proportionnellement fractionnées entre les repas du midi et du soir, gagne heureusement des couches de plus en plus larges de la population. Au Québec, *per capita,* la consommation annuelle se situe autour d'une quinzaine de litres. C'est à la fois peu, si l'on compare avec la France (85 litres) et l'Italie (120 litres), mais relativement important compte tenu de la quantité consommée il y a une vingtaine d'années, soit aux alentours de cinq litres.

Je vous parle ici du vin « en honnête homme », au sens classique de l'expression, plutôt qu'en soi-disant « connaisseur », ce vocable au sens trouble qui a le vilain défaut d'écorcher la modestie et de rendre irrévocable ce qui est, par la nature des choses et les lois de la vie, forcément révocable.

Comme à peu près tout le monde, je me suis fait piéger par la chorale des « connaisseurs » qui a entonné d'une seule voix le *Te Deum* du millésime 1975 de la région bordelaise. Il fallait acheter vite, vite, vite, à des prix exorbitants, cette année qui allait devenir, selon l'expression antique et solennelle, celle du « siècle » ! Or, à ce jour, les fruits n'ont guère passé la promesse des fleurs et j'ai bien peur que mes yeux ne se ferment à jamais avant que ce foutu pinard se rende à maturité.

Devant le vin, comme en toutes choses, l'humilité demeure la règle d'or. Entre les années qui promettent et ne tiennent pas, celles qui ne promettent pas et qui tiennent, il faut faire confiance à son propre goût (encore faut-il l'éduquer), y aller au gré de ses humeurs, de l'épaisseur de son portefeuille, savoir aussi s'aventurer hors des normes consacrées par la tradition.

Petit à petit, l'on arrivera à mieux comprendre Claudel qui disait : « Par la réflexion intérieure à laquelle il nous invite, le vin est le professeur du goût, le libérateur de l'esprit et l'illuminateur de l'intelligence. »

Cet ouvrage a été écrit au fil du temps qui passe, principalement sous la forme de chroniques publiées dans *L'Actualité médicale*. Il ne prétend être ni un guide ni une publication savante, mais davantage un itinéraire, un voyage enchanté dans le merveilleux monde du vin.

Il évoque, somme toute, l'histoire d'un amour qui est demeuré passion. Puisse cet engouement affermir vos propres pas dans la découverte sans cesse renouvelée du vin, ce produit de la terre qui est probablement ce que l'humanité a fait de mieux, tout juste après le sourire d'un enfant.

Yves Michaud

LA CIVILISATION
DU VIN

*Toute civilisation qui se préoccupe de survivre
doit accomplir ses devoirs envers le vin.
Le maintien d'un grand cru est la plus durable
des écoles d'art [...].*

*Un peuple qui ne sait plus boire cessera bientôt
d'écrire, de penser, de peindre... On ne créera plus,
mais l'on continuera de faire semblant.*

Raymond Dumay

I I

LA BEAUTÉ DU MONDE

IL Y A QUELQUE CHOSE de magique, de merveilleux — et qui témoigne aussi d'une grande intensité culturelle — dans le monde fascinant du vin. Comment expliquer autrement ces longues et interminables conversations entre amis sur les vins qu'on a bus, ceux que l'on boit et ceux que l'on rêve de boire. Car il y a davantage dans une bouteille que le produit fermenté d'un cépage de cabernet sauvignon, de pinot noir ou de chardonnay. Parler du vin, c'est raconter les hommes et les femmes qui le font: vignerons aux bras noueux comme des ceps de vignes, vigneronnes au teint de pêche affairées à la recette du jour, gens du terroir à la langue si belle lorsqu'il s'agit de décrire les fruits de la terre et le rythme des saisons.

C'est aussi parler des « pays », ces régions de France, de Navarre, d'Italie, d'Espagne et, plus récemment, de la lointaine Australie, de ces villages jetés au creux des vallées ou accrochés à flanc de coteaux, dépositaires et gardiens depuis des générations du secret de la vigne.

Je ne sais personne cultivée qui n'aime le vin, boisson noble remontant aux origines du monde, et qui n'ait éprouvé, dans cette magnifique Bourgogne aux centaines d'églises romanes au style d'une pureté à vous couper le souffle, des émotions d'une rare qualité.

Avec, en prime, l'humour d'un Léon Daudet parlant des trois fleuves de la région lyonnaise : le Rhône, la Saône et... le Beaujolais !

Vous aurez compris que j'ai un « fort faible » pour les vins de Bourgogne et ces cadeaux du ciel issus du pinot noir. Romanée-Conti, La Tache, Richebourg, Grands Échezeaux, Romanée Saint-Vivant me trottent dans la tête au fur et à mesure que leurs prix les éloignent de mon portefeuille. « Les plus grands vins du monde », disent les Bourguignons. « Pouah ! » répondent les Bordelais. Je ne veux pas être juge de ces mauvaises querelles.

Le vin, c'est tout cela : la beauté du monde, le parfum des violettes, le goût des framboises et, souvent, le souvenir d'un ami. Le dernier verre de Romanée-Conti qu'il m'a été donné de prendre (millésime 1966), ce fut en compagnie de Corinne et René Lévesque, quelques semaines avant le départ de celui-ci pour le royaume des ombres. Homme frugal s'il en fut, René était trop érudit et cultivé pour ne pas aimer le bon vin, même si son côté taquin le faisait sourire devant les oracles des « connaisseurs »...

Il fut, bien avant nous tous, un propagandiste passionné des vins américains, que ses nombreux voyages au pays de l'oncle Sam l'amenaient à découvrir. Je me rappelle, entre autres, un magnifique Sterling blanc qu'il avait choisi sur la carte d'un restaurant des environs de Cape Cod. Du chardonnay à son meilleur, fleurant bon le beurre frais, la vanille et l'amande, à un prix au demeurant fort raisonnable.

Ce qui ne l'empêchait pas d'être diablement « connaisseur » des vins français comme en fait foi la note manuscrite (reproduite ci-après) qu'il me laissa, un jour de novembre 1984 au terme d'une incursion dans ma petite réserve.

Je lui avais laissé ma maison pour tenir avec cinq ou six membres de son cabinet et quelques ministres une réunion secrète sur la stratégie du beau risque !

Le dîner devant être pris sur le pouce, viandes froides et sandwichs, j'avais monté de la cave 12 bouteilles de Mercury 1979, pensant que cela serait suffisant pour étancher la soif de tout ce beau monde.

Mon calcul était erroné, comme en fait foi le « billet » écrit et signé de sa main, pour se faire pardonner sa razzia dans ma cave :

A Yves Rivard (maître- "cave")

5 Novembre) 84

2 Beaune) 63
1 Petrus 76
1 Pommard 70

On a suivi toutes les instructions (celles-là que fidèlement transmises par Gilles) —
- - - mais
- - - passé le Mercurey - - -
- - - cédait à des pressions irrésistibles - - -
- - les réduirent à un maximum de 3 (devenu 4 hélas!)
- - - il arriva ce que ci-dessous.
(J'aurais peut-être terriblement faire, sans la
René (présence dirimante de)

UN SYNONYME DE LIBERTÉ

ENVISAGÉ SOUS L'ANGLE de l'ensemble des caractères propres de la vie intellectuelle, artistique, morale, sociale et matérielle d'un pays ou d'une société, le vin est un fait indéniable de civilisation.

J'en veux pour preuve éloquente les propos que j'ai eu le bonheur d'échanger avec Jean-Paul Kauffmann, à Montréal et à Paris. Le hasard du vin me mit en présence de l'ex-journaliste du *Nouvel Observateur*, détenu comme otage pendant trois années infernales à Beyrouth. Il avait à cette époque été invité au Québec par la Fédération professionnelle des journalistes. Au cours d'un dîner intime chez des amis, dans la Vieille Capitale, Jean-Paul Kauffmann vit mon nom inscrit sur une étiquette du Château Jordi 1982, un Moulis-en-Médoc qu'on lui offrit de déguster, connaissant sa passion des vins du Bordelais. C'est par ce biais qu'il entra en rapport avec moi.

J'appris, entre autres choses, que Kauffmann était un amoureux du Québec pour y avoir passé quatre années de sa vie, de 1966 à 1970, au titre de la coopération franco-québécoise dans le secteur de l'éducation. À telle enseigne qu'il revint à Paris, me confia sa femme à la dérobée, avec un zeste d'accent québécois... dont il s'est départi depuis. Il était au surplus avant son enlèvement, et l'est toujours, rédacteur en chef d'une superbe revue trimestrielle, *L'Amateur de bordeaux*.

Sous le titre évocateur *Le vin libre* (tiens! cela me rappelle quelque chose...), Jean-Paul Kauffmann raconte comment il a exercé sa mémoire lors de sa séquestration en se récitant le classement de 1855 des crus de bordeaux. Pour s'accrocher à un brin de civilisation, pour retrouver sa dignité d'homme dans un monde pétri d'angoisse et de barbarie, pour se réfugier dans une sorte d'univers inviolable de culture et de liberté. Je vous en livre un extrait:

> *« Pendant ces trois années, je n'ai jamais oublié le goût du vin. Je pratiquais, à ma manière, la gymnastique proustienne, sans madeleine. Parfois, dans le puits profond et noir, le miracle avait lieu: le goût du cèdre et de cassis du cabernet sauvignon, les arômes de pruneau du merlot. J'aimais m'arrêter un instant au ruisseau de Juillac, à la sortie de Léoville-Las-Cases. Il me plaisait de m'attarder devant la trouée des Grandes Murailles qui laisse entrevoir l'opulent paysage de Saint-Émilion. Dans ma mémoire, tout était ordonné comme dans la cave d'un amateur: l'organisation unique de cette rangée de platanes qui mène à Château Margaux, Yquem et son paysage de Toscane atlantique, les jardins de Ducru-Beaucaillou, les clochetons de Cos d'Estournel, le vieux cèdre de Lynch-Bages, les fleurs du parc de Giscours, les tableaux de famille de Château Soutard.*
>
> *On ne dira jamais assez la profonde humanité du vin et de tout ce qui l'entoure. Le vin est synonyme de liberté, c'est un usage libre du temps, une faculté de juger, de décider par soi-même. L'amateur de bordeaux est un homme délivré. Il goûte conformément au choix de son propre esprit. »*

Quel beau texte ! Et le reste est de même coulée : tout en finesse, avec la sensibilité d'un écorché vif qui revient d'un interminable compagnonnage avec la mort en maintenant intacte la secrète espérance des vivants, tant qu'il reste une apparence de survie et que l'on n'a pas basculé au-delà des invisibles frontières.

J'avais invité Jean-Paul Kauffmann à déjeuner au restaurant l'Écrevisse, boulevard Péreire, à Paris. Tous les yeux des convives étaient braqués sur lui. Il se sentait mal à l'aise et gêné de cette situation. Nous parlâmes de vin pendant une bonne demi-heure. Puis il s'interrompit et me dit : « Assez ! Parlez-moi plutôt du Québec. Comment voyez-vous l'avenir ? Votre coexistence avec le Canada et l'Amérique ? Le libre-échange ? »

Je me retrouvai subitement plongé dans un univers assez éloigné de celui de mes activités présentes et je me surpris à penser que le Québec, lui aussi, ressortit à une expérience de civilisation et de culture, coincé qu'il est par l'histoire et la géographie, dans une situation où il a autant de raisons de craindre que d'espérer.

Mais tout cela risquerait de nous entraîner loin de notre propos initial.

— Garçon ! Servez-nous le reste du sancerre !

LA MÉDECINE ET LE VIN

ACCOLER ENSEMBLE LA médecine et le vin, c'est emprunter un sentier dangereux, jonché de fourches caudines et d'approximations pseudo-scientifiques, avec le risque de rencontrer au passage des charlatans sans scrupules et des prêcheurs de demi-vérités, comme on en voit tant de nos jours aux lisières des médecines dites « naturelles » ou « homéopathiques ». Qui plus est, j'aborde cette question sans autre connaissance que celle d'une longue fréquentation du vin, assortie d'une ignorance totale du monde médical et des lois scientifiques qui le régissent.

Et pour me mettre doublement en règle avec la Corporation professionnelle des médecins, je tiens à préciser que ce qui précède et ce qui va suivre ne saurait, en aucun cas, prétendre à la vérité scientifique, fondée sur une rigoureuse méthode expérimentale.

Cela dit, je me retrouve devant trois ouvrages publiés par le même auteur, le docteur E.A. Maury, sous des titres aussi racoleurs que *La médecine par le vin ou le vin comme remède universel, Soignez-vous par le vin* et *Notre vin quotidien, essai de diététique œnologique.* Quand je lis, par exemple, que « le champagne est un adjuvant précieux, associé à la thérapeutique des maladies fébriles, des affections coronariennes et chez les malades relevant d'un infarctus du myocarde. Qu'il convient aux sujets dont l'estomac est paresseux et dans les cas de colibacillose urinaire, d'artériosclérose et de rhumatisme chronique... », j'ai le sourire fendu jusqu'aux oreilles en regardant les fines bulles de mon brut 1982 jouer à l'ascenseur dans mon verre.

Et que dire de la description des vins de Sancerre et de sa région : « Ces vins sont riches en carbonates alcalins provenant des acides organiques et des tartrates ; ils développent, de ce fait, des propriétés alcalinisantes sur les humeurs et les milieux intérieurs [sic] ; ils aident également à la dissolution des urates et des oxalates. Par leur teneur en vitamines B, surtout en riboflavine, ces vins stimulent la combustion des graisses et des sucres ; on a récemment signalé, dans les crus du Sancerrois, la présence de chrome ; agissant en qualité d'oligo-élément, ce métal active, à son tour, le métabolisme des lipides et des glucides ; de plus, il potentialise l'action de l'insuline et du pancréas. Faiblement alcoolisés, les vins de Sancerre peuvent figurer sur la table des diabétiques, des goutteux et des obèses

en plus d'être appropriés aux sujets porteurs de sable urinaire. » *Le Grand livre du vin*, l'un des plus remarquables ouvrages publiés sur le sujet (Lausanne, Edita), consacre un chapitre très sérieux aux propriétés thérapeutiques du jus de la treille, chapitre intitulé «Le vin et la santé». J'y apprends, entre autres choses, que le Bourgueil est indiqué dans le cas des dépressions nerveuses, que les vins blancs très secs, les rouges et les rosés peu alcoolisés seront autorisés (toujours avec modération) pour ceux et celles qui louchent vers l'embonpoint, et le reste à l'avenant.

Qu'y a-t-il à boire et à manger dans tout cela ? Chose certaine, le vin a des lettres de noblesse qui remontent à la nuit des temps. Caton le tenait pour le premier des biens de la terre, les médecins égyptiens recommandaient son usage pour « calmer la colère et apaiser les chagrins... », le philosophe Platon le loue dans le *Timée*, Hippocrate s'en fait le propagandiste invétéré, saint Paul le recommande à un de ses disciples, tandis que plus près de nous, si j'ose dire, un médecin de profession doublé d'un auteur génial, le Dr François Rabelais, a écrit des pages sublimes sur les divines propriétés de la bouteille.

Ce ne sont là que quelques exemples d'une filiation qui pourrait s'allonger jusqu'à la démesure tant sont nombreuses les références aux sommités scientifiques qui prêtent au vin des vertus thérapeutiques. Terminons par Louis Pasteur, le père de la microbiologie moderne, affirmant que « le vin reste, pour l'être humain, la meilleure et la plus saine des boissons ». Tous ces témoignages invitent à coup sûr à la réflexion. Et comme le dit le proverbe italien : *« Se non è vero, è bene trovato »*. Un fait demeure, dans tous les cas, incontestable : la profession médicale compte la plus forte proportion d'amateurs de vins, de collectionneurs, de propriétaires de caves et de membres appartenant à des confréries vineuses. Voilà une éloquente illustration de la célèbre apostrophe : « Médecin, guéris-toi toi-même ! »

Je ne sais si l'« œnothérapie » deviendra, un jour ou l'autre, une discipline éprouvée de la médecine moderne, mais j'ai grand hâte que les ténors de la science confirment les innombrables vertus qui accompagnent une consommation modérée du jus de la treille.

En attendant, je refais le pari de Pascal et je cours déboucher la bouteille dont j'ai envie, depuis un bon moment déjà. Je sens que la grippe est dans l'air. Mon livre me conseille, à titre préventif, un Morgon ou un Saint-Émilion et, à titre médicamenteux, un champagne brut ou un Côte-Rôtie, tous propres à renforcer les défenses de l'organisme… Qui dit mieux ?

« Ne traversez pas le vignoble comme un bavard passerait la mer, vous n'y verriez, selon, que des feuilles vertes ou rouges, comme l'autre n'y verrait que l'eau. Penchez-vous sur le sillon : terre ou corps strié, nué, chiné, tigré... silice, cailloux, sables, argile et calcaire, dépôts venus de haut ou versés de loin, apportés par la Garonne. Du silice la finesse, du calcaire la puissance, de l'argile l'onctuosité, tout vient des sables et graves.

Sol mêlé. Traversez les vignes où la muscadelle a été arrachée, du sémillon vient la suavité, du sauvignon coulent les aromates, rangs tigrés ou zébrés, composites. Il faudrait superposer plusieurs cartes : celle de la géologie, celle de la pédologie, celle des cépages, mosaïque jaune, rose, bleu roi, vert bouteille, composante inattendue, on dirait que le sous-sol, ô surprise, se reproduit en surface, comme si les vieux vignerons, géologues sans le savoir, faisaient voir les secrets noirs de la terre, par ou dans l'arrangement des plans : cartes marines mêlées pour naviguer dans le Bordelais. De même, l'écrivain tente, par l'alliage des syllabes, voyelles, rythmes et assonances, d'évoquer la carte de gisements très enfouis et fait scintiller en surface la moire des veines souterraines. »

Michel Serres

III

AUTOUR DE
LA CAVE

∎

AVOIR OU NE PAS

AVOIR SA CAVE ?

U<small>N DE MES AMIS, P.-</small>
D.G. de grande notoriété, amoureux du vin et connaisseur par surcroît, consommateur de bon aloi, gestion-
naire scrupuleux, m'avoue qu'il n'a jamais été tenté de
se constituer une cave à vin. « Ma cave, dit-il avec
aplomb, c'est la Maison des vins de Montréal ou de
Québec, au gré des circonstances et des arrivages. Je
n'ai pas à me préoccuper du degré d'humidité de mon
sous-sol, ni du chaud ni du froid, ni de toutes les tra-
casseries de ce genre. »

Voilà une façon de voir les choses qui fait bon
marché des règles élémentaires de l'économie et qui
suppose, au surplus, un gousset admirablement bien
garni. J'avoue, pour ma part, n'avoir jamais eu les
moyens de ne pas m'acheter de vins, à des prix raisonnables, cela va sans dire, à la fois pour faire face à
toutes les situations et m'offrir le plaisir partagé de
sortir la bonne bouteille au bon moment. C'est-à-dire
le vin qui accompagnera au mieux tel plat mijoté dans
le fourneau domestique ou celui de mes amis qui me
font l'honneur de leur table en certaines occasions.

Posséder sa cave à vin, si modeste soit-elle, relève à
la fois du sens commun, d'une saine gestion de son
budget personnel et d'un niveau d'altruisme élevé, tant
il est vrai que le vin, s'il se déguste en solitaire dans le
recueillement intérieur des grandes extases, se boit, en

revanche, dans l'allégresse de l'amitié et du joyeux compagnonnage.

Parlons économie d'abord ! Et partant du principe que tous les vins, sauf les primeurs, depuis les modestes génériques jusqu'aux grands crus, gagnent à reposer quelques années avant d'être consommés, il vaut mieux constituer sa réserve chez soi plutôt que d'écoper de l'inévitable plus-value que connaît ce produit au fil des ans. À moins que l'on se contente de boire éternellement des vins trop jeunes, se privant ainsi de l'un des plus grands plaisirs qui ait été donné au genre humain.

L'essentiel consiste à donner le grand coup, une fois pour toutes, toujours dans la mesure de ses moyens, au hasard d'une bonne affaire, d'une rentrée inespérée, d'un héritage, d'un billet gagnant de loto, et que sais-je encore ! Investir un ou quelques milliers de dollars dans une cave à vin n'est pas une dépense frivole, mais bien plutôt un placement de premier choix au regard de sa propre qualité de vie... et de celle des autres.

Il vous faut en tout premier lieu évaluer votre consommation personnelle sur une base hebdomadaire. Quatre bouteilles par semaine (si l'on compte deux personnes) me semble un chiffre raisonnable, soit un total de 200 bouteilles par an. Si vous recevez des amis à déjeuner ou à dîner à raison de quatre ou six personnes deux fois par mois, il faudra ajouter une centaine de bouteilles et prévoir aussi une cinquantaine d'autres pour les grandes occasions. Vous en arriverez ainsi au total de 350 bouteilles qu'atteindra votre consommation annuelle, un seuil qui ne me paraît pas délirant, tout juste ce qu'il faut en somme pour dormir en paix. À un prix moyen de quinze dollars la bouteille (toutes marques et millésimes confondus), il vous faudra consacrer environ cinq mille dollars à votre fonds de cave, l'équivalent de ce que coûteraient des vacances dans le Sud ou un abonnement à un club de golf.

Prenez tout votre temps. Rien ne presse. À la limite, faites un emprunt à la banque pour « monter » votre cave à vin. Le jeu en vaut la chandelle. La plus-value du vin est nettement supérieure au taux d'intérêt en vigueur : 30 pour cent par an, dans certains cas, pour les bons millésimes. Et n'oubliez pas la règle d'or : acheter des petits crus dans les grandes années et des grands crus dans les petites. Le contraire vous mènerait rapidement à la faillite.

Vous aurez un plaisir fou à « monter » votre cave. De succursales en succursales, de Salons en Maisons des vins, le choix est vaste. Soit dit en passant, un monopole d'État n'a pas que des désavantages. Les Québécois sont parmi les consommateurs les plus choyés du monde sous l'angle de l'éventail des produits qui leur sont offerts.

Commencez par le commencement : 24 blancs à boire dans l'année : muscadet, Vouvray (sec), Alsace ; 24 de plus grande conservation (3 à 10 ans) : sancerre, chablis, graves et bourgogne ; 12 moelleux : sauternes, Layon, Jurançon ; 12 beaujolais à boire dans l'année, de préférence « Villages » ; 48 bourgognes, moitié Côte de Nuits et moitié Côte de Beaune 1988 et 1989 ; 60 bordeaux millésimés (1983 — bonne année mais de consommation plus hâtive — 1985, 1986, 1988, 1989 de plus longue garde), dont 24 médoc : Saint-Julien, Pauillac, Saint-Estèphe, Moulis, Margaux, 12 Pomerol, 12 graves, 24 Côtes-du-Rhône (millésimés de préférence) ; 24 rouges de la Loire (Bourgueil et Chinon) 1985, 1986, 1988, 1989 ; 24 rosés en prévision de l'été ; 12 champagnes millésimés (de préférence le 1982 et le 1983) ; 48 provenant d'autres régions et pays : 12 Bergerac, 12 Provence, 12 blancs d'Australie, 12 rouges du Chili, 12 d'Espagne. Quelques vieilles bouteilles de porto, de sherry, de Rivesaltes, et le reste selon vos humeurs et vos rentrées d'argent...

Il va de soi que cette liste est facultative. Laissez courir votre imagination et vos goûts. Le plaisir que vous éprouverez à garnir votre cave à vin et à l'alimenter vaudra toutes les collections de timbres-poste, d'éléphants en ivoire, d'icônes grecques ou de manuscrits anciens. Parce que vous ajouterez au plaisir de la vue, celui de l'odorat et du goût.

Mais attention aux manies et à l'avarice ! Les bonnes bouteilles arrivées à maturité sont faites pour être bues et non pas simplement regardées. Dans tout propriétaire de cave, il y a un harpagon qui sommeille. À toujours attendre les grandes occasions pour déboucher les grandes bouteilles, l'on risque tout bonnement d'investir pour ses héritiers...

SAVOIR ACHETER,
VOILÀ LA QUESTION !

Arrivé Au Début De La soixantaine, je me mords les pouces d'avoir laissé passer le merveilleux millésime 1969 en Bourgogne, les bordeaux 1970 et 1971, pour ne pas parler des liquoreux 1975 de la même appellation et des vins d'Alsace de vendanges tardives 1983, dont je ne retrouve que quelques rarissimes exemplaires dans ma trop modeste réserve.

Ce ne sont là, hélas ! que quelques-uns de mes regrets, et je pourrais décliner à la queue leu leu les bonnes affaires qui me sont passées sous le nez. Eussé-je été un peu plus prévoyant, je n'aurais pas hésité à faire des saignées dans mon compte en banque pour profiter aujourd'hui de plaisirs qui me sont chichement comptés, eu égard aux prix astronomiques actuels de ces précieuses bouteilles.

En matière de vin, comme en beaucoup de choses de la vie, il vaut mieux avoir des remords que des regrets. En d'autres termes, je me console plus facilement d'une bouteille qui ne remplit pas sa promesse que d'une autre dont j'ai envie et que j'ai laissé filer, soit par étourderie, soit par souci mal placé d'économie. Vous m'entendez, jeunes gens dans la fleur de l'âge, dans la trentaine joyeuse ou la quarantaine assagie ?

Courez au plus vite vers les bordeaux rouges 1982 et 1983, si vous en trouvez ; ruez-vous sur les grands crus de 1985, 1986 et 1989 dans la même appellation et dans celles de Bourgogne et d'Alsace. Ne laissez pas passer les 1989 de Touraine, du Bordelais ou de la Bourgogne et vous ouvrirez ainsi le troisième millénaire avec de superbes bouteilles parvenues à une éblouissante maturité.

AMATEUR OU COLLECTIONNEUR ?

AVANT D'ACHETER DU VIN, il faut d'abord savoir qui l'on est. Cela me rappelle la boutade lancée à ma femme par une Américaine à Paris, les bras chargés de colis : « *I am not a collector, I am an accumulator !* » Au contraire du collectionneur, qui recherche les plus grandes bouteilles de ce siècle et du siècle dernier, l'amateur visera à bien équilibrer sa cave avec des vins qu'il aura l'espérance de boire avant de passer l'arme à gauche...

Dans un remarquable ouvrage intitulé *La Cave* et publié par l'Académie du Vin, à Paris, Steven Spurrier rappelle quelques principes de base :

• Ne jamais acheter trop de vin courant dans une seule fois.

• Lorsque l'on trouve un vin qui nous plaît, en acheter autant que l'on peut.

• Ne jamais avoir trop de vins quelconques, ni trop peu de bons vins.

Voilà pour l'essentiel. Le reste est affaire d'expérience, de ratés et de réussites, encore que les « mauvais coups » s'oublient vite contrairement aux bons achats, dont on ne se lasse pas de parler avec une infinie satisfaction.

À défaut de garnir les rayons de votre bibliothèque d'ouvrages sur les vins et d'y consacrer la totalité de vos temps libres pendant des décennies, le parti le plus simple consiste à vous fier aux conseillers en vins de la Société des alcools du Québec, qui ont acquis depuis quelques années une remarquable expérience, et à certains directeurs de succursales — de plus en plus nombreux — qui connaissent bien leur métier et dont la fréquentation quotidienne de nombreux amateurs de vins est à elle seule une garantie de fiabilité. Je me garderai bien de citer des noms de peur de froisser ceux avec lesquels j'entretiens de lointains rapports, mais je puis affirmer qu'aux Maisons des vins de Montréal et de Québec, pour ne mentionner que celles-là, vous trouverez facilement un conseiller attentif à vos besoins et à vos goûts, un connaissseur passionné par son travail et heureux de vous guider dans vos achats.

LA VALSE JOYEUSE DES MILLÉSIMES

QUAND MES VINS SERONT-ils prêts à être bus ? Quelles années méritent qu'on attende et aussi les vins de quelles régions ? Les blancs évoluent-ils plus vite que les rouges ? À trop attendre, le risque est-il trop grand que mes meilleures bouteilles passent le cap de la maturité sans que je m'en aperçoive ? Ce ne sont là que quelques-unes des nombreuses questions qui se posent à l'amateur de vins, cet heureux mortel qui a commencé à faire des réserves il y a trois, quatre ou cinq ans. Quant aux autres, vénérables propriétaires de caves somptuaires qui possèdent des millésimes 1978, 1976 et 1969 de bourgognes, 1982, 1978, 1970, 1966 et 1961 de bordeaux, 1978 des Côtes-du-Rhône ou 1976 de Touraine, en passant par les 1983 et 1976 d'Alsace, la valeur ajoutée à leur investissement initial est telle qu'ils savent nécessairement à quel moment déboucher ces précieuses bouteilles qui font leur grande joie et notre immense envie.

Mais laissons cette poignée d'élus au paradis de leurs rêves assouvis et revenons à des gens comme vous et moi qui ont quelque peu engrangé en prévision des vaches maigres, qui ont mis en réserve quelques grandes bouteilles pour quelques grandes occasions, mais pas en quantité suffisante. Notre défaut commun, c'est de boire nos vins trop jeunes.

Quand je dis « trop jeunes », cela vaut non seulement pour les grands millésimes, mais aussi pour les vins plus simples d'appellation contrôlée qui sont tous — à l'exception de vins de table et de vins de pays — immanquablement meilleurs après une cure de repos de 12 à 18 mois en position couchée.

Je connais des amateurs qui paient une fortune pour de magnifiques bouteilles, qu'elle proviennent d'importation privée ou des magasins de la S.A.Q., et se ruent dare-dare sur les précieux flacons avant que ceux-ci n'aient eu le temps de se reposer de la fatigue du voyage ou du simple transport de la société d'État à leur domicile. Quelle gourmandise coupable ! Un vin secoué est un vin énervé et il lui faut quelques mois de convalescence avant de retrouver sa bonne santé et sa pleine vigueur. Encore une fois, répétez-vous qu'il est impérieux d'attendre avant de déboucher les meilleurs millésimes des récentes années. Patience et longueur de temps, comme chacun sait, valent plus que force ni que rage.

Pour ce qui est des Médoc, il est absolument interdit de déboucher tout millésime de 1982 à 1986, sauf pour ce qui concerne les bonnes surprises de 1984 dans les Pauillac et Saint-Julien et les 1983 en Saint-Émilion qui commencent à « s'ouvrir ». Même consigne pour les graves, parmi lesquels les blancs 1986 devront attendre sept à huit ans, tandis que les 1982 patienteront moins longtemps.

Quant aux Côte de Nuits, les 1985 devront être conservés comme des pierres précieuses pendant dix ans ; les 1983 seront à leur apogée dans trois ou quatre ans et les 1986 seront de plus longue garde.

Pour le Côte de Beaune, les blancs de 1985 devront attendre cinq ans et les rouges dix ans. Les blancs 1986 seront plus hâtifs et les rouges nécessiteront cinq à huit ans de patience.

Dans le Beaujolais, les grands crus de 1983 ont atteint un sommet rare de plénitude. Le 1985 est à boire maintenant, de même que les 1982 et 1984, qui ont entamé leur déclin.

Quant aux vins d'Alsace, les 1983 sont à conserver comme la prunelle de vos yeux, tandis que les 1982 et 1984 ont commencé leur descente. Deux ou trois ans d'attente suffiront pour les 1985 et les 1986.

Dans tous les cas précités, rien n'interdit de déboucher une bouteille de temps à autre, si vous avez eu la sagesse de faire quelques provisions, histoire de suivre l'évolution de votre cave à vin au fil des ans, surtout pour les bons millésimes des petits crus. Votre soif de savoir sera ainsi étanchée à moindre prix et vous irez de surprise en contentement. Au pis aller, vous ferez provision de sujets de conversation pour vos prochaines agapes amicales et fraternelles. Ce sera toujours ça de pris !

LA VOLUPTÉ RÉSIDE
DANS L'ATTENTE !

CHAQUE FOIS QUE J'AI débouché une bouteille trop tôt, je m'en suis immanquablement mordu les pouces et irrité les papilles. Il s'agit là du péché capital auquel succombent tous plus ou moins les amateurs de vins, mus par une impatience coupable les menant à un plaisir diminué. Sans paraphraser Sacha Guitry qui disait que « le plus beau moment de l'amour est l'instant précis où elle monte l'escalier »... (laissant entendre que la réalisation du désir est la profanation du rêve), l'on éprouve indéniablement une forme de volupté à attendre le moment précis où le vin, ayant grandi en sagesse et en âge, révélera toute sa perfection.

Entendons-nous bien. Il y a une juste mesure entre le délire de l'«apogée » dans lequel sombrent tous ceux qui nous recommandent de ne pas déboucher les grands crus de bordeaux 1982 avant trente ans ! et la frénésie sacrilège des autres qui vous feront sauter le bouchon d'un Richebourg 1989 sitôt qu'ils auront mis la main dessus. La vertu sera toujours récompensée car elle se loge entre les extrêmes.

Cela vaut pour les grandes marques et les nobles appellations, mais aussi pour les vins plus ordinaires d'appellation contrôlée, génériques, de domaine ou de propriété qui sont le lot quotidien du commun des mortels. Je pense tout particulièrement à un petit

Bourgueil 1985 mis en vente par la S.A.Q. à l'été 1987, épuisé en quelques mois, et qui commence à faire les délices des amateurs qui s'en sont procuré. Les vins rouges de la Loire du millésime 1985 ont été une fort belle réussite comme d'ailleurs ceux de la plupart des régions d'Europe, de France, d'Italie et d'Espagne. Comme beaucoup d'amateurs, j'avais garni ma cave de quelques caisses de ce vin en raison de la notoriété du millésime. J'en débouchai une bouteille, puis une autre, puis une autre, les enfants et les amis se chargeant du reste... et me retrouvai à sec en quelques semaines.

Le vent de l'oubli fit son œuvre jusqu'à tout récemment quand le même vin réapparut sur la table d'un ami. Je n'en crus pas mon nez, ma bouche, mon palais, mes yeux ni mes oreilles. Ce Bourgueil que j'avais trouvé agréable en son temps à l'égal d'un beaujolais de prime jeunesse et de bonne fraîcheur avait subi en quelques années la métamorphose des dieux : tanins plus fondus, nez de violette et de framboise, équilibre acidité-alcool. Le cabernet franc, un peu dur pendant les premiers mois, s'était arrondi et prenait la belle allure des bons bordeaux. Le millésime n'avait pas menti.

Cet exemple peut se répéter dans des dizaines, même des centaines de situations. Pour la plupart des vins que nous achetons à la Société des alcools, petits et grands, il est toujours important d'attendre ! Le repos en cave ou en sous-sol est en quelque sorte la convalescence du vin après l'emprisonnement dans la bouteille et le choc du voyage.

Pierre Arbinet, petit producteur d'un magnifique Chambolle-Musigny, m'expliqua tout cela un jour de mise en bouteille : « En barrique, le vin a de l'espace. À partir du moment où il est mis en flacon, il fait sa maladie de bouteille et doit se résigner à l'emprisonnement à vie dans un contenant de 750 ml. C'est un peu comme les humains qui changent de travail ou de métier et doivent se faire à de nouveaux modes d'existence. »

Ce modeste vigneron aujourd'hui disparu, aux mains noueuses comme ses ceps de vigne, écoutait son vin évoluer en barrique comme on écoute le chant de la terre. Nul besoin de gros livres savants pour comprendre les lois de la physique et de la vie. Il portait en lui l'amour de son métier et la sagesse d'un monde qu'il a quitté trop tôt non sans avoir laissé à sa femme Marcelle, fort heureusement, les secrets d'une longue expérience de la vigne capricieuse et imprévisible.

Il y a pourtant ceci de merveilleux dans la culture de la vigne que les exceptions sont aussi nombreuses que les règles. Certains bordeaux 1982, par exemple, de petite renommée, seront très agréables à boire maintenant, surtout ceux qui ont une prédominance ou une bonne proportion de merlot, cépage qui a la propriété d'adoucir les contours un peu rugueux du cabernet sauvignon en ses jeunes années. De la même façon, vous serez loin d'être déçus des bourgognes 1983 déjà parvenus à une belle maturité. Mais dans les deux cas, l'ouverture du millésime 1985 est à proscrire avant quatre à cinq ans ou, à l'extrême rigueur, pas avant 1992, si l'envie vous prend de déboucher une bonne bouteille pour célébrer le 350e anniversaire de la fondation de Montréal et le 500e de la découverte de l'Amérique.

Si j'étais à votre place, je n'attendrais pas une seconde pour boire les bordeaux et bourgognes du millésime 1984, petits ou grands crus oubliés dans un coin de la cave ou cadeau d'un ami sans doute bien intentionné mais totalement ignorant des bonnes, moyennes ou mauvaises années du vin. Laissez dormir quelque temps le 1986 dans les crus du Bordelais ou de la Bourgogne et faites un grand détour pour éviter le 1987 qui n'a produit à peu près rien qui vaille sauf dans les blancs vendangés avant les pluies torrentielles qui se sont abattues sur la plupart des régions.

Danton disait que pour réussir la Révolution, il fallait « de l'audace, encore de l'audace et toujours de l'audace ». Pour réussir votre consommation de vin il vous faut attendre, encore attendre et toujours attendre. Afin que se réalise, à la faveur d'une patience contenue, la promesse des paradis rêvés...

LES BELLES ANNÉES QUE VOILÀ !

IL Y A DE NOMBREUSES «bibles» de compilation des années prestigieuses du vin, chaque amateur se faisant un devoir de consulter religieusement la carte soigneusement remisée dans son portefeuille. Ma préférence va à la carte élaborée par la Sopexa, organisme gouvernemental français, en collaboration avec les courtiers-jurés piqueurs de vins.

Quoi qu'il en soit, voici le résumé des années prestigieuses : 1921, 1928, 1929, 1945, 1947 pour à peu près toutes les régions de France. Bonne chasse au trésor !

Pour les années plus récentes, voici le classement par appellations. Bordeaux rouges : 1949, 1955, 1961, 1970, 1982, 1986, 1989 ; bordeaux blancs : 1961, 1967 ; bourgognes rouges : 1949, 1959, 1961, 1969, 1978, 1985, 1989 ; bourgognes blancs : 1970 ; Côtes-du-Rhône : 1970, 1978, 1985, 1989 ; Alsace : 1971, 1976, 1983 ; Anjou : 1959 ; Beaujolais : 1983. Les meilleures années des champagnes sont : 1979, 1981, 1982 et 1983.

Ce qui précède vaut, bien sûr, pour ceux qui ont le temps et les moyens de partir à la recherche de la perle rare. Les millésimes 1985, 1986, 1988 et 1989 sont prometteurs dans l'ensemble des appellations et pourraient bien mériter la mention «prestigieuse» si leur évolution en bouteille confirme la promesse des vendanges. Cela est presque assuré pour les Médoc, graves,

Saint-Émilion, Pomerol, les bourgognes blancs, les vins d'Anjou et de Touraine, d'Alsace, et devient une quasi-certitude pour les Côte de Beaune rouges et les vins du nord des Côtes-du-Rhône.

L'amateur qui n'est pas riche comme Crésus, et qui doit comme à peu près tout le monde mesurer ses « investissements », fera preuve de sagesse en achetant, rappelons-le, les petits crus des grandes années et les grands crus des petites années. Exception faite pour une folie occasionnelle telle un Château Pétrus 1986 ou un Richebourg 1985, l'on pourrait tenter sa chance dans le millésime 1986 avec les crus de Provence, du Languedoc-Roussillon et des Côtes du Rhône. Mais dans tous les cas, il faut attendre un minimum de deux ans avant que la maturité ne s'amorce. Le vin ne se bouscule pas.

Parlant de petits crus des grandes années, je me suis hasardé récemment à goûter un Château Lavignère 1982, un Saint-Émilion sélectionné par la S.A.Q., vendu 8,15 $ en 1985. Quel plaisir pour ce prix ! Les tanins étaient fondus, le bouquet agréable et la robe, en tenue de soirée. Les amis qui étaient à ma table pensaient que j'avais déniché un grand cru de bordeaux pour accompagner le modeste mais combien délicieux pot-au-feu de ma grand-mère. Si je ne l'avais su, j'aurais parié à l'aveugle qu'il s'agissait d'un vin de grand prix et de haute lignée. Divine surprise !

LE MILLÉSIME 1988:

DE TRÈS BON À EXCEPTIONNEL

LA CULTURE DU VIN DONNE toute sa vérité au dicton qui veut que les années se suivent mais ne se ressemblent jamais. L'année 1988, par exemple, va de très bonne à exceptionnelle pour l'ensemble des régions de France.

Je ne connais ni vos goûts, ni vos humeurs, ni vos penchants, ni votre âge, ni votre espérance de vie, mais si j'étais vous, j'investirais à plein dans le millésime 1988 dont le rendement a été de 15 pour cent moindre que celui de 1987, avec une palette de qualités insurpassables dans certains cas.

Dans le Bordelais, l'année 1988 sera celle du merlot, cépage prédominant du Pomerol et du Saint-Émilion. On s'accorde à dire que le Saint-Émilion 1988 sera supérieur au 1985 frisant même la qualité du 1982. En Médoc, les vins feront penser aux millésimes de 1981 et de 1985 et devraient faire partie de la collection de tout amateur averti. Les liquoreux porteront vraisemblablement la mention « très grand millésime ». À surveiller de près, d'autant que le 1989 sera à peu près inexistant dans ce type de vin.

En Bourgogne, s'il faut se fier à la vente aux enchères des Hospices de Beaune et au prix émouvant de certains crus, la qualité sera au rendez-vous, particulièrement dans les blancs entre Meursault et Mâcon. Dans le Beaujolais, les grands crus de Moulin-à-Vent et Morgon seront de bonne et longue garde.

Dans le Val de Loire, une production modérée annonce là aussi une excellente qualité, notamment en Sancerre et en Pouilly-Fumé, et dans la plupart des blancs de cette région. Les rouges seront agréables, mais n'auront pas la longévité du superbe 1985. Dans la vallée du Rhône, le Châteauneuf-du-Pape 1988 côtoiera le niveau de qualité du 1978, introuvable depuis nombre d'années, sauf dans quelques caves de particuliers qui ont eu le nez long en faisant provision de ce vin superbe où la syrah poursuit une évolution seigneuriale.

En résumé, le millésime 1988 offert dans les magasins de la S.A.Q. présente un potentiel hors de l'ordinaire pour les amateurs. Je me méfie de l'enflure verbale qui place tel millésime comme étant « celui du siècle », tant capricieuse est la nature et imprévisible l'évolution du vin, une fois emprisonné dans la bouteille. Mais avec le 1988, les chances sont de notre côté. À chacun et chacune de faire ses propres découvertes.

UNE DÉCENNIE EN OR POUR

LE BORDELAIS

CELA NE S'ÉTAIT PAS VU depuis le milieu du XIXe siècle ! Une pluie d'or s'est abattue sur la région bordelaise depuis 1980 avec quatre superbes millésimes, 1982, 1985, 1986 et 1989, ce dernier dont on dit déjà qu'il pourrait égaler ou surpasser le 1982, objet de tant de convoitise de la part des amateurs et propriétaires de bonnes caves. Du Château Pétrus au Château Margaux, en passant par le Cos d'Estournel, les avis sont unanimes : « Jamais, de mémoire de vigneron, les raisins n'ont été aussi beaux et parfaits que lors de la vendange précoce de fin août et début septembre 1989. »

Bruno Prats, propriétaire du Cos d'Estournel, 2e Grand Cru de Saint-Estèphe et éleveur du Maître d'Estournel, — un bordeaux générique en blanc et en rouge qui est en voie de se tailler une belle place sur le marché des vins de consommation courante des amateurs avertis, — est émerveillé par la récolte de 1989 : « Pour l'ensemble de la région bordelaise, dit-il, les cépages merlot et cabernet sauvignon titrent à un peu plus de 13 pour cent de degrés d'alcool tandis que les autres variétés ne descendront pas sous la barre des 12 pour cent. Du rarement vu dans le monde vinicole. »

Un peu plus critique, le chef du bureau londonien de la célèbre revue américaine *The Wine Spectator*, commente de la manière suivante les vendanges 1989 dans le Bordelais : « À se fier aux statistiques, il est prévisible que la récolte 1989 produira des vins dans le style de 1982, puissants et charpentés, ce qui n'est pas dans le style régulier des bordeaux. Certains Français commencent déjà à qualifier le millésime 1989 de "californien". Ils manqueront peut-être de l'épine dorsale et de la superbe structure de la très grande année 1986. Néanmoins, une récolte comme celle de 1982, et il semble que cela soit le cas pour 1989, impressionnera toujours par la maturité et la plénitude du fruit. Mais il ne faut trop se laisser aller à l'euphorie de la récolte. Il est encore trop tôt pour se faire une opinion définitive. On devra attendre au printemps prochain pour y aller avec plus d'assurance. »

Ces prudentes réserves étant faites, il reste que les années 1980 auront produit en bordeaux, quatre ou cinq millésimes qui feront les délices des amateurs de bons vins. Je dis quatre ou cinq parce que l'expérience que j'ai faite jusqu'ici du 1983, notamment en Saint-Émilion, a été loin de me décevoir. On n'y retrouve certes pas la puissance du 1982 — qu'il faudra d'ailleurs attendre une bonne dizaine d'années — mais le 1983 m'a paru plus facile, plus prêt à être bu maintenant, tout en conservant les vertus aimables des bordeaux légers. Les prix du 1983 sont demeurés jusqu'ici raisonnables, mais j'ai peur que le goût des Anglais pour ce type de vin — et Dieu sait s'ils s'y connaissent en bordeaux depuis Aliénor d'Aquitaine — ne fasse grimper les enchères.

En Bourgogne, la décennie 1980 n'aura pas produit de vendanges miraculeuses sauf pour les millésimes 1985 et 1983 en Côte de Nuits et Côte de Beaune, avec une longueur d'avance pour le 1985. La récolte de 1989, tout aussi prometteuse que celle du Bordelais, apportera un peu de baume sur les plaies des joyeux enfants de la Bourgogne qui ont eu trop tendance ces dernières années à presser le raisin trop fort en pratiquant des prix exagérés. Avec le résultat que les consommateurs se sont éloignés petit à petit des grands vins de Bourgogne pour se tourner vers les rives de la Gironde.

Est-ce l'âge ou le portefeuille ? L'amateur inconditionnel que j'étais des vins de Bourgogne a presque muté au fil des ans en fidèle du Bordelais. Mais où sont les bouteilles d'antan ? Que sont mes amies devenues, La Tache, Bonnes-Mares, Musigny, Chambolle, Richebourg, Grands Échezeaux, Pommard, Corton, qui ont jadis émerveillé mon palais et mis tous mes sens en émoi ?

Réflexion faite, je crois que le portefeuille y a plus fait que l'âge. Comme Charles le Téméraire, les Bourguignons ont tué la poule aux œufs d'or. La frénésie a gagné le Beaujolais où les crus de 1989 ont augmenté de plus de 20 pour cent. Dommage qu'ils n'aient pas suivi les sages conseils que Georges Dubœuf, le plus important négociant de cette région, a adressés aux producteurs : « Ne tuez pas la poule aux œufs d'or. Vous n'êtes pas les seuls sur le marché. Une augmentation de 10 pour cent serait plus raisonnable. Ni un remarquable millésime, ni une production légèrement inférieure ne pourraient justifier l'emballement des prix. »

CES RENDEZ-VOUS QU'ON
NE CESSE D'ATTENDRE

LE RENDEZ-VOUS PARFAIT avec une bouteille de vin procède d'un art difficile et d'une connaissance quasi encyclopédique des millésimes, des conditions climatiques qui ont prévalu tout le long de l'année, du moment précis des vendanges, du vieillissement en barriques et que sais-je encore. Même les professionnels de la dégustation y perdent parfois leur latin, et leurs avis ne concordent pas toujours sur les années qui sont prêtes à boire, les autres où il faut attendre ou sur les bouteilles qu'il faut boire d'urgence sous peine de les voir passer de vie à trépas.

Le simple amateur de vin ou le propriétaire d'une cave moyenne de 800 à 1000 bouteilles ne peut pas suivre à la trace tous les millésimes, dans tous les terroirs et pour tous les crus. Il lui faut donc s'en remettre avec une relative confiance aux spécialistes dont le métier est précisément de suivre l'évolution du vin, d'effectuer la synthèse des uns et des autres pour en arriver avec le plus de certitude possible au juste moment de vérité.

Je me suis livré à ce travail de bénédictin et vous en livre le résultat, pour mon propre compte et le vôtre, tout en revendiquant le droit à l'erreur. J'ajoute que les conseils qui suivent doivent être tempérés, si j'ose dire, par la connaissance précise que vous avez des conditions de votre propre cave. Si vous y maintenez une température moyenne de 11 à 12 degrés Celsius, la maturité sera plus lente alors qu'elle s'accélérera si votre vin vieillit, au rythme des saisons, entre 10 et 17 degrés Celsius. Vous devrez tenir compte, en outre, de la nature même des crus que vous aurez remisés dans votre cave. Par exemple, un bordeaux à prédominance de merlot sera plus prêt à boire qu'un pur cabernet sauvignon dont la robustesse appelle de longues années de patience.

Somme toute, servez-vous de ce qui suit comme d'un « guide » et non comme d'une parole d'évangile, en gardant toujours présent en mémoire que l'évolution du vin est tout aussi capricieuse que celle de la vie, avec des hauts et des bas, des moments d'amères déceptions et de plaisirs insoupçonnés.

Pour les bourgognes, les millésimes de 1983 et ceux des années antérieures sont prêts à boire et vous risquez des surprises désagréables avec des bouteilles antérieures à 1969. Dans le Bordelais, ne laissez pas traîner les 1984. Interdiction formelle de consommer les années récentes, sauf le 1983 qui commence à « s'ouvrir » dans les Saint-Émilion et les Pomerol. Les 1979 et 1980 sont prêts à boire tout comme les 1976 mais vous pouvez toujours courir le risque pour un 1978 ou un 1975. Les 1970 et 1971 sont au meilleur de leur forme.

Dans les grands crus du Beaujolais, les 1981, 1982 et 1983 n'attendront guère alors qu'il faut donner encore quelques années de bouteille aux millésimes plus récents. Pour ceux qui précèdent 1980, vous avez probablement perdu votre investissement.

Dans les Côtes-du-Rhône, débarrassez-vous du 1984. À partir de 1982 et pour les années antérieures, tous les millésimes sont mûrs pour la consommation. Patientez une année ou deux avec le 1983, l'un des meilleurs de la décennie jusqu'à ce jour.

Dans les grands bourgognes blancs, épuisez vite le 1984 et n'ouvrez rien de plus récent. Vous pouvez y aller avec le 1982 et tous les millésimes plus anciens.

En Bordelais, tout est bien à partir de 1983. Si vous êtes à court, les 1985 et 1986 de petits crus pourront dépanner. Les vins d'Alsace ne gagneront rien au-dessous de 1982. Les 1983 et 1985, deux bonnes années, méritent encore une attente de deux à trois ans.

Tous les champagnes millésimés de 1983 à 1973 peuvent être ouverts sans problèmes. Plus vieux, il y a des risques de madérisation.

1989 : L'ANNÉE MIRACLE !

Au Terme d'Un Séjour prolongé en France et après avoir conversé avec plus d'une centaine de producteurs, je me risque à affirmer que le millésime 1989 sera celui du siècle, que dis-je, du millénaire ! Tout le monde ne peut pas se tromper en même temps.

Partout, le même son de cloche, même extase, mêmes superlatifs. Le millésime 1989 produira les plus beaux vins du monde dans presque toutes les régions de France. En Touraine, le jus de certains récoltants titrait 25 degrés pour des blancs secs-moelleux. Ils seront prêts à boire autour de l'an 2020, alors que pour une bonne partie d'entre nous, nos yeux se seront à jamais fermés sur la méchanceté du monde et la bêtise des hommes. Dans le Beaujolais, il n'a été nul besoin de recourir à la chaptalisation (ajout de sucre lors de la fermentation pour rehausser le degré d'alcool), les moûts atteignant naturellement 12,5 et 13 degrés. Les grands crus de 1989, Moulin-à-Vent, Chénas, Morgon, Juliénas, pour ne citer que les plus costauds, seront du tonnerre aux alentours de 1995, mais pourront allégrement supporter une autre décennie sans lassitude.

Même allégresse à Chablis et à Meursault, où de mémoire d'homme on ne se souvient pas avoir récolté des blancs aussi généreux, corsés et d'une aussi délicate acidité. On fera la queue dans toutes les capitales du monde pour se procurer les grands crus des vins blancs de Bourgogne. Les prix du Montrachet et du Corton-Charlemagne friseront la démence, mais quelles magnifiques bouteilles à laisser à ses héritiers. De quoi perpétuer son souvenir pendant plus d'un quart de siècle et au-delà...

Dans le Bordelais, les grands crus classés seront littéralement pillés en un rien de temps. À Saint-Émilion et dans le Médoc, on n'hésite pas à parler de vins « centenaires », compte tenu de la maturité des récoltes, de la concentration des jus et de la beauté des raisins. Dans la *Revue du vin de France* (novembre 1988), 1989 est consacrée « année royale du merlot ». Les prix, hélas ! ne sont pas à la portée du commun des mortels.

À meilleur compte, les rieslings d'Alsace, les « vendanges tardives » et les « grains nobles » atteindront une qualité inégalée tout comme en Touraine, où les blancs et les rouges ont bénéficié en 1989 du meilleur climat jamais vu, au pays de la douceur de vivre. Seule ombre au tableau : certains terroirs de Provence et du Sud-Ouest, où la sécheresse des mois d'été a compromis les récoltes.

Année miracle ? Tout porte à le croire. Chez les grands comme chez les petits producteurs, il aurait fallu faire exprès, et avec une forte dose de mauvaise volonté, pour mettre en bouteille des vins médiocres. Pour le millésime 1989, le principe qui veut que l'on achète des petits crus des grandes années vaut son pesant d'or. Adieu Pétrus, Lafite, Margaux, Montrachet, Yquem, Romanée ! Mais qui sait si certains crus bourgeois ou même des petits bordeaux de moindre renommée ne donneront pas, à défaut de joies inaccessibles, des plaisirs insoupçonnés. Car le soleil a lui pour tout le monde et toutes les vignes ont pu profiter, à un degré ou à un autre, de la lumière d'une année dont on parlera longtemps, de génération en génération, à nos petits-enfants qui seront devenus des adultes.

Si le millésime 1989 réserve de magnifiques surprises côté qualité, il n'en va pas de même pour les prix, en route vers des sommets inégalés. Tout cela n'a rien de bien réjouissant pour le consommateur. Dans le Val de Loire, par exemple, réputé jusqu'ici pour ses prix modérés, l'augmentation est de 10, 15, 20 pour cent dans certains cas. Chinon, Bourgueil, Sancerre, passeront à la caisse et nous après. Du côté des bourgognes, je frémis en pensant à la prochaine vente aux enchères des Hospices de Beaune...

Un grand millésime se paie, bien sûr, mais dans une mesure raisonnable. Si la récolte est inférieure de 5 à 8 pour cent à celle de l'année précédente, je m'attends à ce que les prix augmentent en proportion et même un peu au-delà, mais pas du simple au double, c'est-à-dire atteignant 15 à 20 pour cent.

Les producteurs français devront voir à ne pas presser le raisin trop fort. D'autant que l'Italie, le Chili, l'Australie, l'Allemagne veillent à la grappe et pourraient rafler de belles parts de marché si les prix des vins français dépassent les limites du raisonnable.

Nous sommes de bons consommateurs, gentils, agréables, commodes, corvéables à souhait, mais il n'est pas dit que nous boirons éternellement le calice jusqu'à la lie.

Les températures sibériennes enveloppant souvent le Québec présentent quelque danger pour le repos de vos vins en cave, notamment un taux d'humidité trop bas si votre cave à vin est dépourvue d'un système de contrôle automatique. Les grands froids abaissent inévitablement le degré d'humidité de la cave, avec le résultat que le bouchon de liège risque de prendre à l'intérieur de la bouteille l'humidité qu'il ne trouve pas à l'extérieur. D'où la catastrophe appréhendée et un remue-ménage préjudiciable à votre vin. On peut remédier à la situation en laissant fonctionner à longueur de journée un humidificateur qu'on trouve dans le commerce — qui maintiendra un degré minimal d'humidité de 60 pour cent. L'excédent n'est pas dommageable, sauf pour vos étiquettes. En tout état de cause, vaut mieux trop que pas assez.

Et rappelez-vous les principes de base d'une bonne cave : le vin couché et l'alcool debout, à une température se situant aux alentours de 12 degrés Celsius ; absence totale de lumière, de bruits et de vibrations ; interdite la présence de fruits, de légumes, d'essence, bref de tout ce qui peut dégager des odeurs ; bouches d'aération permettant le renouvellement normal de l'air ambiant. Si vous suivez ces conseils à la lettre, votre vin pourra dormir tranquille et remplir ses promesses. Dernier détail : pour vos vieux vins de garde, il est préférable de rebouchonner après 15 à 20 ans. Ou mieux encore, les consommer tout de suite avant qu'ils ne passent de vie à trépas.

Yves Michaud

DE LA
CONSOMMATION

■

Hippocrate à tout bon buveur
Promettait la centaine.
Qu'importe, après tout, par malheur,
Si la jambe incertaine
Ne peut plus poursuivre un tendron,
Pourvu qu'à vider le flacon
La main soit toujours leste
Si toujours, en vrais biberons,
Jusqu'à soixante ans nous trinquons!
Rions! Buvons!
Et moquons-nous du reste.

Honoré de Balzac

DU VIN, DES FROMAGES,

DES HUÎTRES, D'UN COUP

DE FOUDRE, ETC.

J'AI PASSÉ LA MAJEURE partie de ma vie à accompagner les fromages de fin de repas avec les meilleurs bourgognes que je pouvais trouver. Encore qu'il soit toujours agréable de faire honneur à une bonne table avec un camembert qui s'abandonne et un Chambolle-Musigny ou un Vosne-Romanée, je dois convenir qu'un roquefort avec un vieux porto ou un bleu d'Auvergne avec un Coteaux du Layon n'est toutefois pas une expérience à dédaigner.

Et que dire, en guise d'entrée d'un repas, d'un crottin de Chavignol accompagné d'un bon sancerre bien frais. Le village de Chavignol est situé à quelques kilomètres du village de Sancerre. Le climat, la nature, le sol, ont ainsi réalisé un mariage parfait. Faites-en l'expérience avec la recette qui suit et vous découvrirez un coin de paradis. À signaler : on produit désormais au Québec un chèvre à pâte dure, type « crottin de Chavignol ».

FROMAGES DE CHÈVRE MARINÉS
(POUR 6 PERSONNES)

6 petits fromages de chèvre secs, type crottin de Chavignol

4 c. à soupe (60 ml) d'huile d'olive

2 gousses d'ail finement haché

2 c. à soupe (30 ml) de vinaigre de vin blanc à l'estragon

2 c. à thé (10 ml) d'herbes fraîches hachées (thym, estragon, romarin, sauge, etc.) ou

1 c. à thé (5 ml) d'herbes de Provence séchées

1 c. à soupe (15 ml) de persil haché

1 échalote grise hachée

1 c. à thé (5 ml) de zeste d'orange

Déposer les fromages de chèvre dans un bocal. Réserver. Mélanger dans un bol tous les ingrédients, puis verser la marinade ainsi obtenue sur les fromages. Bien fermer le bocal et laisser mariner au frais de 12 à 48 heures. Retirer ensuite les fromages de la marinade, puis les placer sur une plaque à biscuits au milieu du four chauffé à « broil », ou encore, les déposer sur une grille du barbecue placée à environ 4 pouces (10 cm) au-dessus de braises assez vives. Faire griller 2 minutes, puis retourner à l'aide d'une spatule et faire griller 3 minutes.

Mettre sur des toasts et disposer le tout sur un lit de laitue, boston ou mâche. Accompagner d'un sancerre servi entre 8 et 10 degrés Celsius.

Vous verrez que le bonheur n'est pas loin !

ENTRE LE CHAUD ET LE FROID

IL N'Y A PAS UN ENDROIT sur dix au Québec, incluant les restaurants et tables d'hôtels les plus huppés, où l'on se préoccupe de servir les vins à leur juste température. Et cela commence à devenir singulièrement agaçant. D'autant que le prix de la bouteille est souvent plus élevé que le prix des deux ou trois repas au menu. Le client n'hésitera pas à retourner un mets mal préparé ou mal cuit, mais hésitera, par une inexplicable gêne ou par fausse pudeur, à demander que le vin soit servi selon les règles de l'art. Tout se fait trop vite, à la va-comme-je-te-pousse, au rythme trépidant des impératifs du commerce. On devrait s'attendre à mieux. La table d'un bon restaurant ou d'un grand hôtel n'est pas une cafétéria. Avec une addition qui frise ou dépasse souvent la centaine de dollars pour deux personnes, les égards sont de mise.

La température à laquelle doit être servi le vin est aussi importante que le contenu de la bouteille. À cet égard, l'expression « chambré » est à l'origine de nos malheurs. Plus encore celle de « température de la pièce » qui fait servir de magnifiques bourgognes à 24 ou 25 degrés Celsius, comme s'ils venaient de terminer une course de 100 mètres, « dopés » par la chaleur et la température ambiante.

L'expression « température de la pièce » correspondait, au siècle dernier et bien avant, à 15 ou 16 degrés, pour des appartements spacieux, chauffés au feu de cheminée, avec des plafonds d'une hauteur de deux étages. L'appliquer à nos appartements modernes et chauffés, avec des plafonds de trois mètres, est tout simplement un non-sens.

Les bordeaux rouges, surtout lorsqu'ils ont un peu de « bouteille », et a fortiori les plus jeunes, ne doivent pas être servis à plus de 18 degrés, et les bourgognes rouges à plus de 16 degrés. Un ou deux degrés de moins pour les Côtes-du-Rhône et, la plupart des rouges légers (Beaujolais, Bourgueil, Chinon), entre 12 et 14 degrés. Les grands bourgognes blancs (Corton-Charlemagne, Meursault, Montrachet) développeront mieux leurs arômes entre 12 et 13 degrés, tandis que les champagnes et les vins mousseux, de même que les vins liquoreux, seront plus à l'aise entre 6 et 8 degrés.

Aux amateurs raffinés qui ont de très vieux bordeaux dans la cave, il est conseillé de les déboucher la veille et de les décanter en carafe pour les monter dans la salle à manger peu de temps avant le repas, surtout si la pièce est surchauffée.

Quant au mariage des vins et des plats, c'est là un choix d'une importance capitale. Ainsi, le gibier est un plat royal qui commande les meilleurs crus du monde. Avec la perdrix, le faisan, le lièvre, le canard et les oies sauvages, la palette des vins « princiers » de Bourgogne vous fait des clins d'œil : Romanée-Conti, La Tache, Richebourg, Grands Échezeaux, Romanée Saint-Vivant, Musigny, Bonnes-Mares, Chambertin, Clos de Tart, le choix est grandiose. Les inconditionnels du bordeaux opteront pour les grands crus de Pomerol, Saint-Émilion, Médoc et Graves, qui ne donnent pas leur place.

Avec l'orignal, le chevreuil, le sanglier, on louchera vers les vins rouges puissants, choisis de préférence dans de bons millésimes : Côtes-du-Rhône (nord) 1978, 1983, 1985. Les bordeaux de Saint-Émilion et Pomerol (1970-1971) ne seront pas non plus à dédaigner.

Dans tous les cas, préparez-vous à une facture salée... à moins que vous n'ayez déjà garni votre cave de ces vins de rêve qui vous font croire en l'existence de Dieu, si besoin était d'une preuve supplémentaire...

LES MARIAGES HEUREUX

LES DÉGUSTATIONS DE VINS et fromages sont devenues une mode très répandue au Québec et personne ne s'en plaindra. Elles ont l'avantage de mieux faire connaître les produits de la vigne et des centaines de régions du monde où sont affinés quantité de fromages. Comme le vin, ces fromages sont typiques de leur terroir, de leur sol, de leurs traditions artisanales et de leur histoire. On connaît la boutade célèbre du général De Gaulle : « Comment gouverner un pays qui produit 365 sortes de fromages ? »

Il y a cependant à boire et à manger, c'est le cas de le dire, dans ces dégustations improvisées, où l'on sert n'importe quoi avec n'importe quoi. Avec les vins et les fromages, il se fait souvent des compagnonnages douteux, des accompagnements discutables, des fiançailles vouées à la rupture et des mariages insignifiants.

Tous les fromages ne mettent pas les vins en valeur et vice-versa. Certains, trop forts, peuvent même ravaler le meilleur des grands crus à du pipi de chat, si l'on n'y prend garde. L'habitude de servir le meilleur vin rouge de sa cave en fin de repas, avec un ou deux fromages choisis au hasard, peut ménager de mauvaises surprises et voilà une pratique qui devrait être revue et corrigée, à la lumière de certains principes de base.

Par exemple, les fromages « bleus » ou à pâte persillée de type roquefort, bleu d'Auvergne, cambozola, ne seront jamais aussi savoureux qu'avec des blancs liquoreux ou demi-secs comme les sauternes, Vouvray, Monbazillac, Coteaux du Layon, surtout si ces vins ont pris dix ou vingt ans et plus de bouteille. Un vieux porto « vintage », de 1970 et antérieurement, vous en fera également voir de toutes les couleurs.

Avec les pâtes « fermentées » comme le munster, le camembert, le brie, la préférence ira aux vins puissants, corsés, riches en tanins : Châteauneuf-du-Pape ou Hermitage en Côtes-du-Rhône, Pomerol en Bordeaux, Pommard en Bourgogne, Madiran en Sud-Ouest ou Bandol en Provence. Et à l'occasion un gewurztraminer vieux de quelques années, compagnon rêvé du munster.

Les pâtes « cuites », gruyère, hollande, port-salut, etc. appelleront des rouges plus légers et délicats : Musigny, Beaune, Volnay, en Bourgogne, Graves ou Médoc en Bordeaux, Bourgueil ou Chinon en Val-de-Loire, ou un Bouzy en Champagne, le seul rouge de cette région divine, si vous ne répugnez pas à de nouvelles expériences.

Les fromages de chèvre et les fourmes de type cantal iront au mieux avec les vins blancs secs comme le sancerre, le chablis ou le riesling ou, à la rigueur, avec des rouges légers comme le beaujolais, à condition qu'ils ne succèdent pas à un grand cru servi avec le plat principal, suivant le principe immuable que les vins doivent se succéder en qualité de sorte que le dernier servi ne fasse pas regretter le précédent. D'où ma préférence pour le fromage de chèvre chaud au début du repas en guise d'entrée plutôt qu'à la fin.

LE BEAU MÉTIER DE SOMMELIER

PLUS PARTICULIÈREMENT au restaurant, j'ai toujours eu tendance à me fier au sommelier pour le choix des vins qui accompagneront le repas. C'est un fort joli métier, encore que l'étymologie du mot renvoie à « bête de somme » ; au Moyen Âge, le sommelier était préposé au convoi des troupeaux qui accompagnaient les déplacements d'un prince. Plus tard, la fonction s'étendit au transport et à la garde des victuailles et des vivres, notamment le vin, indispensable pour redonner de l'ardeur aux fougueux combattants.

De nos jours, le sommelier est un professionnel chargé de la constitution et de la mise à jour de la cave d'un établissement hôtelier ou d'un restaurant de bonne tenue. Ses fonctions l'amènent à entrer en contact direct avec la clientèle lorsque celle-ci requiert ses services pour arroser un repas de vins idoines, c'est-à-dire appropriés aux mets que l'on s'apprête à déguster.

Ainsi le saumon de l'Atlantique au beurre blanc, lorsque la sauce qui l'accompagne est préparée selon les règles de l'art, est un mets princier, dont je raffole. Il fit les beaux jours de mes belles années, où je tenais table avenue Foch, à Paris, pour recevoir les grands et les moins grands de ce monde intéressés à l'avenir du Québec et à son immense potentiel de développement. Mais quoi boire avec ce mets royal, entrée princière d'un repas de bonne venue ? À la maison, entre amis, on pourra toujours se rabattre sur un Muscadet sur Lie si l'on est porté sur l'économie, quoiqu'un sancerre, un chablis, un Meursault, ou un graves blanc, me paraissent plus dignes de ce seigneur de la mer. On évitera dans tous les cas les vins blancs trop fruités qui s'accommoderont mal de la sauce au beurre blanc.

Au restaurant, un bon sommelier vous proposera, avec finesse et discrétion, les vins de sa carte qui feront le meilleur ménage avec le plat choisi. Et ce ne sont pas nécessairement les plus chers, à moins que vous insistiez pour vous offrir le haut de gamme. Vous aurez beau être un œnophile averti, vous égalerez rarement la vaste connaissance du sommelier à propos de la cave qu'il gère. Les commentaires quotidiens qu'il recueille auprès de sa clientèle, sa formation professionnelle, son habileté à garnir la cave de valeurs sûres, sans négliger pour autant les produits nouveaux susceptibles d'avoir un bel avenir, toutes ces qualités sont autant de garanties autorisant le client à lui faire une confiance presque aveugle. Car il risque sa réputation à chaque fois. Il suffit d'un mauvais choix et il ne vous reverra plus.

La pauvreté de la plupart des cartes des vins dans les restaurants du Québec est fonction de l'absence de sommeliers précisément formés pour rentabiliser l'investissement initial. C'est donc une économie de bouts de chandelles que de se priver des services d'un sommelier.

« Nous ne sommes pas là pour pousser à la consommation », précise Jacques Orhon, auteur du *Petit guide des grands vins* et 3e sommelier du Canada il y a quelques années. Jacques Orhon est responsable de la formation à l'École hôtelière des Laurentides, institution maintes fois médaillée et devenue le chef de file des établissements scolaires qui offrent des cours sur la science de l'œnologie et le métier de sommelier. Sans oublier, bien sûr, l'Institut de tourisme et d'hôtellerie du Québec, installé rue Saint-Denis, qui a été et demeure le haut lieu de formation des gens du métier qui viendront enrichir le monde de la restauration et de l'hôtellerie au Québec.

Je n'ai eu qu'à me réjouir, pour ma part, des excellents services rendus à Paris, à la résidence du délégué général du Québec, par les diplômés de nos écoles d'hôtellerie.

Ils avaient vite compris, si l'on donne foi au bon mot d'un ministre affirmant que « la France se gouverne à table »... — « et quelquefois au lit » d'ajouter un autre ministre, mais cela risquerait de nous éloigner de notre propos... —, ce qui revient à dire, en guise de conclusion, qu'il est sage d'encourager nos restaurateurs à puiser dans le réservoir des compétences formées chaque année avec bonheur et talent par nos institutions d'enseignement spécialisé.

Dans la mesure où les restaurateurs auront des caves honnêtes, des sommeliers responsables, des cartes des vins moins ennuyeuses, ces trois conditions réunies les mèneront sur la route du profit. Pour leur grande satisfaction et celle d'une clientèle qui ne craint pas bourse délier quand le service est à la hauteur de l'addition.

AU ROYAUME DES IDÉES REÇUES...

LE MONDE DU VIN EST PAR excellence celui des idées reçues, c'est-à-dire des vérités que l'on tient pour immuables parce qu'elles ont été, soit transmises de père en fils, soit colportées de génération en génération, soit admises comme paroles d'Évangile du simple fait que tout le monde le dit. Exemple : le vin rouge chambré, le blanc froid, les vins sucrés avec le dessert, les rouges avec le fromage, les blancs avec les viandes blanches, etc.

À suivre aveuglément ces préceptes à la lettre, l'on risque de s'ennuyer à mourir et de ravaler le grand art de la table à une routine désespérément uniforme et sans surprise. Je connais des gens qui servent le même vin depuis trente ans avec l'éternel rosbif et la purée de pommes de terre. Dieu sait si leur compagnie y gagnerait d'un brin d'imagination.

L'une des premières idées reçues veut que les potages soient réfractaires au service du vin et qu'il faille attendre le plat dit de « résistance » pour tremper ses lèvres dans le jus de la treille. Vite dit ! Ce serait pousser un peu trop loin l'esprit de sacrifice et, en outre, où est la nécessité de remettre à plus tard les plaisirs que l'on peut avoir sur-le-champ ? Précisons que les rosés sont fort agréables avec des potages à la tomate, les vins du Mâconnais avec les bouillons de légumes, le Chardonnay avec une soupe à l'oignon et le Bandol rouge avec une soupe de poissons, pour ne donner que quelques exemples.

Même idée reçue à propos des entrées ou des hors-d'œuvre. Sait-on que le melon fera bon ménage avec un muscat de Frontignan, un Rivesaltes ou un Beaume-de-Venise, les crudités et les salades avec un Corbières ou un Côtes-de-Provence, les charcuteries avec un sancerre (blanc) ou un Bergerac (rouge) ? Que le Bourgueil (rouge) est en joyeuse compagnie avec les omelettes et le muscadet avec les harengs marinés ? Les asperges vinaigrette, que l'on croyait condamnées jusqu'ici au célibat, pourront flirter avec un vin jaune du Jura ou un Monthélie de Bourgogne (rouge). Sans parler du foie gras frais, réservé à la table des riches, qui sera inévitablement rehaussé par les sauternes, Barsac, Coteaux du Layon et gewurztraminer dans les blancs moelleux ou un Maury ou Banyuls pour les inconditionnels du foie gras avec vin rouge.

Il existe d'autres alliances que celle de l'incontournable muscadet avec les poissons et les crustacés. Le homard des Îles-de-la-Madeleine ou des côtes du Maine, que je persiste à croire le meilleur au monde — quoi qu'en disent les thuriféraires du homard breton — révélera toute sa saveur avec un sancerre (blanc) ou, si l'on est plus fortuné, avec un Meursault. On atteindra au sublime avec un Corton-Charlemagne. Si le homard est en sauce, la préférence ira aux grands vins rouges de Bourgogne : Chambolle-Musigny, Morey Saint-Denis, Vosne-Romanée ou un Richebourg ou alors un La Tache, les jours de grande folie.

Pour accompagner le saumon fumé, le sancerre est aussi à l'honneur, de même que les vins de la famille Montrachet, accessibles aux gros portefeuilles. Vous pouvez même pousser la fantaisie jusqu'à vous offrir un cru du Beaujolais (rouge), vieux de trois ou quatre ans dans un bon millésime, de type Moulin-à-Vent, Morgon ou Chénas.

On pourra aussi élire le Vouvray (sec) avec la morue, le Menetou-Salon avec les truites, de même que le

Pouilly-Fumé et les graves — sans parler de l'introuvable Jurançon (demi-sec ou moelleux) — qui feront la fête avec les crustacés.

Le poulet et la volaille n'appellent pas, à mon avis, de grands vins, ni en blanc, ni en rouge ; mon choix portera alors sur un bordeaux générique (rouge), ou un Beaujolais-Villages d'un millésime récent. L'agneau, en revanche, appelle au minimum un bon cru bourgeois du Médoc ou un grand cru de Saint-Émilion. Le bœuf demeure toujours le compagnon idéal des vins de Bourgogne, petits et grands, tandis que le porc accueillera soit les crus du Beaujolais, les Anjou rouges ou les Côtes-du-Rhône.

Le principe essentiel à retenir devrait être le suivant : plus marquée est la saveur de la viande, plus puissant et structuré sera le vin. Au sommet de l'échelle des saveurs, on trouve le gibier faisandé, qui commandera les vieux bourgognes de grande classe et les vieux bordeaux du Médoc, puis on descendra vers les petits vins aimables quand il s'agit de viandes au goût plutôt neutre comme le poulet ou le veau.

Je me rends soudain compte en revoyant ce qui précède que je suis tombé tête baissée dans le panneau des « idées reçues » alors que l'objet initial de mon propos était précisément de m'écarter des sentiers battus et d'inviter mes lecteurs à faire preuve de hardiesse et d'imagination dans le choix de leurs vins.

Comme quoi la facilité et la routine nous attendent à chaque tournant de la vie. Raison de plus pour oser des expériences, enrichir sa mémoire de la diversité des saveurs, et ne pas hésiter à transgresser les tabous de l'art de la table. Ce qui donnera lieu, à l'occasion, à des expériences ratées, certes, mais peut-être aussi à des découvertes extraordinaires qui ensoleilleront le reste de vos jours.

PITIÉ POUR LES BUVEURS
DE BONS VINS

C'EST À MA PLUS GRANDE désolation, et sur les conseils pressants de mon comptable, que j'ai dû modérer ma fréquentation des restaurants. Au rythme de deux ou trois bons repas par semaine dans un établissement de tenue respectable, l'on risque de déséquilibrer sérieusement son budget, surtout s'il faut écoper soi-même de l'addition et que s'évanouit toute possibilité de mettre à contribution les ministres du Revenu des deux gouvernements qui se partagent allègrement la moitié de nos gains.

C'est le prix du vin qu'il faut mettre au banc des accusés et non celui des repas qui suit d'une manière générale l'évolution du marché et la courbe de l'inflation monétaire. Peu me chaut que le homard me soit compté à vingt ou vingt-cinq dollars dans un restaurant où il faut bien payer pour la moquette et le smoking du maître d'hôtel, mais que la bouteille de sancerre frise ou dépasse les quarante dollars, voilà qui fait mal au portefeuille et provoque la grogne d'un nombre grandissant de consommateurs.

Et encore, l'exemple choisi ne pêche pas par excès de prodigalité. Pour accompagner le homard ma préférence irait, si j'en avais les moyens, à un Meursault ou un à un Chablis Premier Cru, mais leur coût astronomique — une centaine de dollars et plus — raréfie la clientèle, même celle qui vit dans une relative aisance.

Quant aux buveurs de grands crus, ils peuvent aller se rhabiller et rester sur leur soif. Dans les rares restaurants du Québec qui peuvent afficher sur leur carte un Yquem, un Montrachet, un Lafite, un Pétrus ou un Mouton Rothschild, les prix atteignent la démence et dépassent la déraison, compte tenu de la marge des bénéfices que s'octroie chacun des établissements.

Passe encore qu'au Ritz de Paris, un Texan et sa femme commandent à minuit pile, un 31 décembre, une bouteille de Château Pétrus à 4 000 dollars (service non compris, s.v.p.), que chez Lucas Carton un Américain de Los Angeles et ses amis règlent sans un froncement de sourcil une addition de 12 000 dollars pour un Yquem, un Mouton et un magnum de Pétrus 1953, raconte Christian Millau. Mais nous ne sommes ici, à Montréal ou ailleurs au Québec, P.Q., guère habitués à ces histoires des Mille et une Nuits...

Inquiets de la baisse de fréquentation des restaurants, attribuable en grande partie au coût exorbitant des vins, quelques établissements pratiquent depuis quelque temps une nouvelle politique qui consiste à ne majorer que de 10 dollars à 15 dollars le prix de la bouteille qu'ils achètent à la S.A.Q., quel que soit le vin. Voilà une manière intelligente de ramener la clientèle au bercail, de la conserver et de la renouveler. Une telle pratique permet à l'amateur de bons vins, qui n'a pas toujours les ressources financières d'un magnat du pétrole, de choisir autre chose sur la carte qu'un sempiternel Muscadet ou un Beaujolais-Villages et de ne pas défoncer son portefeuille à chaque sortie au restaurant.

Les quelques établissements hôteliers ou les restaurants qui ont adopté cette politique de prix depuis quelques années n'ont eu qu'à se féliciter de leur initiative. La clientèle a augmenté et le chiffre d'affaires s'est, dans le pire des cas, maintenu quand il n'a pas grimpé.

Mais il y a moyen de faire mieux et plus. En modifiant quelque peu, par exemple, la loi régissant les établissements dits « licenciés », le fait de répandre cette variante du « droit de bouchon » pourrait s'étendre aux amateurs de vin. Ceux-ci pourraient apporter leurs bonnes bouteilles au restaurant d'une grande table de la métropole, pour accompagner tel foie gras au sauternes, tel faisan en cocotte dans une autre, tel saumon au beurre blanc ici, tel râble de lapin ou de lièvre ailleurs. En acquittant, bien sûr, les frais de service dans une proportion raisonnable.

Je ne suis pas le seul à vouloir partager quelques bonnes bouteilles de ma cave avec des amis, dans un restaurant où le chef fait souvent preuve de talent pour ne pas dire de génie. Pourquoi le privilège d'y apporter ma bouteille me serait-il refusé alors qu'il est loisible de le faire avec un Cuvée des patriotes au restaurant du coin de la rue ?

Une idée encore plus raffinée consisterait, pour l'habitué d'un restaurant, à constituer sa propre cave dans l'établissement qu'il fréquente régulièrement, moyennant des frais de garde négociés à l'amiable avec le patron. Nous n'en sommes pas encore rendus là, mais ces mœurs témoignent d'un souci élevé de l'art de vivre, du bien manger et du bien boire. Nous y arriverons sans doute un jour, au fur et à mesure que les vernis de la civilisation se superposeront sur notre écorce rugueuse et encore mal aplanie.

En attendant, espérons que la pratique du forfait ou du droit de bouchon se répande à la grandeur du Québec. « Pitié pour les églises de France ! », criait Barrès, constatant l'indifférence des pouvoirs publics devant les églises romanes et gothiques qui tombaient en ruines... Pitié aussi, pourrions-nous ajouter, pour les amateurs de bons vins, condamnés par les dures nécessités de l'existence à se mijoter chez eux leurs propres plats — souvent avec un talent incertain — à cause justement du prix démentiel des vins inscrits sur la carte de la plupart des restaurants !

CAVIAR, FOIE GRAS
ET SAUMON FUMÉ

CE N'EST PAS TOUS LES jours fête et l'aimable lecteur, qui éprouvera à me lire autant de plaisir — je l'espère — que j'en ai eu à écrire ces propos, me permettra pour une fois de m'aventurer dans les hauts lieux de l'extase du boire et du manger. Dans le cas du caviar, ce sera avec la complicité de la revue *Gault & Millau* de novembre 1989, qui tint, dans les salons du Ritz de Paris, une séance de dégustation de ce mets princier avec, en guise d'accompagnement, une variété de vins de France à vous donner des émois d'une rare intensité.

J'apprends donc, presque en même temps que vous, que le caviar a aussi ses « grands crus », tout comme les vins prestigieux de France et de Navarre. L'Impérial, par exemple, provenant d'esturgeons femelles âgées de plus de 80 ans, le nec plus ultra, paraît-il, des caviars de la mer Caspienne, mais aussi le Sevruga, l'Oscietre et le Royal Black, qui sont à l'Impérial ce que sont le Richebourg, La Tache et les Grands Échezeaux au Romanée-Conti. Mais ne vous donnez pas la peine de vous fendre en quatre pour trouver ces merveilles de ce côté-ci de l'Atlantique. Les quelques recherches que j'ai faites auprès des rares maisons qui vendent du caviar au Québec n'ont abouti qu'à un ordinaire Beluga au prix de 16 dollars l'once, de quoi tartiner la moitié d'une tranche de pain grillé, et encore.

La douzaine de dégustateurs émérites mandatés par *Gault & Millau* en sont arrivés à la conclusion que huit vins étaient bons à marier avec le caviar : en tête de liste le célèbre Montrachet, le plus grand des vins blancs de Bourgogne — et aussi le plus cher —, suivi dans l'ordre d'un Haut-Brion blanc, d'un Pommard, d'un Muscat d'Alsace, d'un Coulée-de-Serrant, d'un Chablis Grand Cru et, croyez-le ou non, d'un muscadet et d'un Côtes-de-Provence rosé, deux vins qui louchent plutôt vers la roture que vers la noblesse de bouteille.

Pour ceux qui ont les moyens de se payer du caviar de temps à autre, ce qui précède mérite qu'on s'y arrête et vaut la peine d'un essai loyal. Ne serait-ce que pour délaisser la sempiternelle vodka — qui vous arrache le palais à la première gorgée — ou le champagne de qualité moyenne — qui n'est pas toujours l'accompagnement idoine pour le mets des rois et le roi des mets.

Autre merveille du palais, le foie gras frais, de préférence mi-cuit, et qu'on trouve rarement au Québec et au Canada, en raison des règlements sanitaires du gouvernement fédéral, qui prohibe l'importation de ce genre de produits. Il faut donc la plupart du temps se rabattre sur le foie gras de conserve dont certaines marques sont d'une qualité honnête.

J'en profite pour trancher ici un débat qui n'en finit plus. Le foie gras d'oie m'a toujours paru plus onctueux, plus fin, plus lisse et plus raffiné que le foie gras de canard, à la texture un peu plus sèche et râpeuse et au goût plus insistant. Encore que certains bons foies gras de canard peuvent tenir lieu d'entrée remarquable lors d'un repas de haute volée, si j'ose dire.

Dans les deux cas, et au risque d'offenser certains amateurs, aucun vin rouge, aussi rond et souple qu'il puisse être, ne tiendra la route avec un foie gras onctueux et fins. Exception faite des vins doux naturels de Rivesaltes, Maury et Banyuls, notamment avec le foie de canard.

Pour accompagner le foie d'oie, les sauternes battent la marche avec une longueur d'avance. Je n'ose mentionner un vieux Château d'Yquem de vingt à trente ans d'âge qui vous mettra le palais en arc-en-ciel à la première lampée. Les Coteaux du Layon, Barsac, Rivesaltes, Vouvray moelleux, pourvu qu'ils aient atteint eux aussi un âge canonique, ne feront pas mésalliance de même qu'un gewurztraminer Grand Cru ou de « vendanges tardives » ou, qui mieux est, de « grains nobles », nouvelle passion des amateurs avertis.

Plus accessible au portefeuille des honnêtes bourgeois que nous sommes, mentionnons le saumon fumé de l'Atlantique ou du Pacifique, qui ne dépare jamais une bonne table. Les Français sont à genoux devant ceux de l'Écosse, du Danemark ou de la Norvège, mais les nôtres, s'ils sont bien préparés, ne leur cèdent en rien. Une précision ici s'impose. Le saumon fumé se déguste seul, sans apprêt ni garniture. L'huile d'olive, l'oignon ou les câpres qui l'accompagnent trop souvent masquent son goût raffiné en plus de massacrer les grands vins qui lui font escorte. Dans ce cas, le Corton-Charlemagne ouvre la fanfare sur le même pied que la famille des Montrachet, et tout juste après viennent les Meursault Premiers Crus. En fin de cortège, si vous n'avez pas sous la main un grand blanc de Bourgogne ou que vous hésitiez à vous lancer dans de folles dépenses, un sancerre ou un Menetou-Salon feront figure plus qu'honorable. D'aucuns suggèrent un champagne millésimé mais j'avoue, pour en avoir fait l'expérience, ne pas avoir été convaincu.

CE QU'IL FAUDRAIT BOIRE
MAINTENANT

À L'EXEMPLE DES PRO-
priétaires de modestes caves à vin, je suis toujours
angoissé lorsque je songe aux bouteilles que je devrais
boire pour me conformer aux sages conseils des experts, dont les avis sont au demeurant partagés sur les
millésimes à boire et ceux pour lesquels il faut patien-
ter. Je me ruine en achat de revues spécialisées, d'en-
cyclopédies, de guides et de revues savantes. Rien
n'échappe à ma soif de connaître. La petite pièce de
mon sous-sol où j'écris est jonchée de *Revue des Vins
de France*, d'*Amateur de Bordeaux*, de *Wine Spectator*, de *Gault & Millau*, de *Plaisirs de la table*, de
Wine Tidings, de *Vins et Gastronomie*, de *Wine Advo-
cate*, de *Barrique*, de *News From France*, d'un *Jour-
nal d'un bourgeois du Médoc*, etc., sans compter deux
ou trois publications italiennes où j'ai l'impression de
ne pas y perdre tout à fait mon latin et une autre, alle-
mande, où je ne comprends pas un traître mot. Bref, à
ce rythme, je risque d'investir autant d'argent dans
l'achat de livres et de revues sur le vin que dans les
bouteilles destinées au repos en cave, ce qui confine
au non-sens et à l'hérésie, fût-on ou pas chroniqueur
en vins.

Et tout cela pour en arriver, comme monsieur-tout-
le-monde, à choisir le plus souvent mes vins « à vue de
nez », au gré de mes fantaisies et de mes soudaines

inspirations. Les jours de fête ou de grands soirs, par exemple, je me régale, avec un saumon fumé ou un poisson au beurre blanc, d'un Chassagne-Montrachet 1972-Clos Saint-Marc, domaine à peu près inconnu dans le Landernau bourguignon, au millésime oublié dans toutes les compilations de cartes des bonnes années. Et pourtant, j'entends encore Pierre Arbinet, propriétaire-récoltant de l'un des meilleurs Chambolle-Musigny qu'il m'ait été donné de boire, parler de sa récolte 1972 comme de celle destinée à négocier avec aisance le virage du prochain millénaire...

James Laube, pour sa part, chroniqueur émérite au *Wine Spectator*, s'en tient à une théorie toute simple : « Tout vin qui atteint les 10 ans d'âge, rouge ou blanc, est prêt à boire. » Pour les blancs, cette limite de 10 ans est un véritable signal d'alarme tandis que pour les rouges, elle est une invitation à les surveiller de près avant qu'ils ne « passent » trop vite. Selon lui, certains vins blancs peuvent vieillir, mais rares sont ceux qui dépassent avec bonheur l'adolescence. En règle générale, les chenin blanc, riesling, gewurztraminer et sauvignon blanc doivent être consommés dès leur apparition sur le marché tandis que les chardonnay de 1983 et 1985 devront être bus après 1990, de même que les champagnes non millésimés et les vins mousseux dont la capacité de vieillissement ne dépasse pas, toujours selon Laube, trois à cinq ans. Il fait exception, à juste titre, pour les sauternes, les « vendanges tardives » d'Alsace ou d'Allemagne et les champagnes millésimés.

Dans le cas des rouges, l'auteur joue sur du velours en recommandant de boire à leur sortie les beaujolais et les pinot noirs avec cette réserve que les 1988 et 1989 pourront tenir une décennie, bien qu'il les préfère dans leur prime jeunesse, tout le contraire dans mon cas, qui fais mes beaux dimanches avec des Moulin-à-Vent, Chénas et Morgon, de l'excellent millésime 1983, capable de tenir plusieurs autres années. Là où il n'y a pas l'ombre d'une divergence de lui à moi, c'est lorsque

Laube qualifie de «sensationnel» le millésime 1985 en Bourgogne tout en conseillant un peu de patience avant de déboucher les bouteilles. Encore qu'un Pernand-Vergelesses-Cuvée Lamarosse de cette année bénie des dieux, dégusté récemment, m'ait laissé une impression tenace et un agréable souvenir quant à son élégance, sa complexité, sa finesse et sa distinction.

En 1990, toujours selon les recommandations de James Laube, on boira donc les bordeaux 1970, de même que les millésimes 1978 et 1979, complètement évolués et prêts à être bus. Il ne fait aucun commentaire sur le 1975 que j'ajouterais pour ma part à la liste pour la seule et unique raison que j'en ai marre d'attendre, et aussi le 1976 dans les grands crus à dominante de merlot.

Dans un registre que j'avoue connaître moins bien, celui des vins américains, le journaliste du *Wine Spectator* recommande de boire les pinot noir de la Californie et de l'Orégon dans les deux ou trois années qui suivent les vendanges tandis que les cabernet et merlot d'Australie et de Californie, tout en étant agréables à boire jeunes, pourraient tenir la route pendant une décennie. Il suggère notamment de ne pas trop laisser vieillir les 1978 et les 1982 qui ont généralement atteint leur apogée.

Un dernier mot pourtant sur les Côtes-du-Rhône rouges, au potentiel de vieillissement universellement reconnu grâce à l'excellente structure et à la solide charpente du seul cépage du genre féminin en français, la syrah. Les 1983 sont superbes et les 1985 commencent à se boire avec bonheur. Je n'ose parler du célèbre 1978 en Côte Rôtie ou d'un millésime plus vieux, ma cave étant désespérément dépourvue en Côtes-du-Rhône. C'est en effet sur le tard que j'ai commencé à apprécier ces vins robustes dans leur jeunesse, mais qui gagnent en finesse et en rondeur au fil des ans.

C'en est assez des conseils et des recommandations. Si vous avez assez de mémoire pour retenir tout ce qui précède au moment où vous descendrez dans votre cave pour choisir la bouteille idéale, tant mieux! Réservez-vous cependant des surprises. Sachez que la vieille bouteille de blanc oubliée dans un coin secret et inaccessible pourrait faire mentir les plus grands experts et faire la démonstration que toute règle comporte des exceptions. Le vin, après tout, n'a rien d'une grammaire inflexible. Ceci ne s'accorde pas toujours avec cela. Et avec un peu d'expérience, quelques erreurs, deux ou trois tâtonnements, vous constaterez qu'il est des passés antérieurs au présent magnifique.

VINS DE PRINTEMPS ET D'ÉTÉ

AU TERME DE LA SAISON froide, pendant laquelle l'amateur de vins privilégie tout naturellement les grands crus des bonnes années, bordeaux, bourgognes, Côtes-du-Rhone, cabernets américains, chiliens ou australiens, pour accompagner les mets costauds que l'on sert généralement en hiver, nous commençons à regarder du côté des « petits vins d'été » aux bouteilles ruisselantes de soleil.

La nature fait bien les choses. On n'a guère envie, pendant l'été, sauf exception, d'ouvrir les grands crus et les meilleures bouteilles qui font l'ornement de notre cave. À mets légers, vins légers, aimables, de bonne compagnie, bien faits mais sans prétention. La ligne et le portefeuille y gagneront c'est certain.

C'est donc en rêvant au chant des cigales et des grillons que je me suis rendu dans quelques bonnes succursales et à la Maison des vins de Montréal pour faire le point sur un certain nombre de produits qui devraient gagner la faveur des amateurs de vins, au moment où ils s'apprêtent à ouvrir leur piscine. On y fait d'agréables rencontres, surtout en début de semaine, loin de la cohue du vendredi et du samedi : des conseillers en vins, moins occupés à courir, prennent plaisir à conseiller la clientèle des amateurs avertis qui prennent le temps de lire les étiquettes et de s'informer des nouveaux arrivages. J'y ai rencontré un médecin dans

le rayon des portos, et nul autre que Don Jean Léandri, le meilleur sommelier du Canada qui s'est de plus taillé une place au concours du meilleur sommelier du monde en 1989.

Nous avons parlé de vins, comme vous le devinez, et j'en ai profité pour faire une recension sommaire de produits particulièrement recommandables pour la saison estivale, dans une fourchette de prix allant de huit dollars pour les vins plus simples à dix-huit ou vingt pour ceux qu'on réserve aux occasions spéciales où les mets servis, crevettes, homard, saumon, appellent des bouteilles d'une certaine qualité. Je vous fais part de mon choix, dont vous pourrez vous inspirer lors d'une prochaine visite dans les magasins de la S.A.Q. Ces choix pourront être complétés au cours des étés à venir, en fonction des nouveaux produits offerts à la clientèle.

• Terres Blanches 1988 — Coteaux d'Aix-en-Provence Les Baux : dans son *Guide du vin 1990*, Michel Phaneuf accordait à ce produit la note la plus élevée. • Moulin des Costes 1987 — Bandol, le même produit que le Mas de la Rouvière. Selon le producteur, un vin capable de tenir le coup pendant encore trois à quatre ans. Un très bon vin, selon Michel Phaneuf. Un peu cher, mais il vaut son prix. • Rosé de Loire AOC 1988 — Domaine de Flines : 2 étoiles dans le *Guide Hachette 1990*. Un vin de « piscine », agréable pour son prix. • Villa di Corte 1988 — Frescobaldi : dans la même veine que le précédent, pour petite bourse et bon plaisir.

Les Bordelais se sont attelés à la tâche et produisent depuis quelques années des vins blancs simples mais remarquables, fleurant bon le sauvignon, le sémillon et la muscadelle. On a l'embarras du choix.

• Château Bonnet 1988 — Entre-deux-Mers : il n'est guère possible de lui en demander plus, compte tenu de son prix. • Chevalier Védrines 1988 : une véritable prouesse à si bas prix. • Maître d'Estournel AOC 1988 : produit par la famille Prats du Cos d'Estournel. Un heureux ajout au répertoire de la S.A.Q. selon Michel

Phaneuf. • Château de Roquetaille 1988 — La Grange : pour ceux qui acceptent de dépenser un peu plus, un vin imbattable dans sa catégorie.

Dans le Val de Loire, j'ai repéré trois sancerre à des prix aux alentours de 20 dollars, le Domaine de Saint-Louis 1986, La Moussière et La Bourgeoise 1987. Le homard et les crevettes s'en trouveront meilleurs. Superbes avec un crottin de Chavignol grillé en guise d'entrée. Offert dans toutes les succursales, à petit prix et pourtant de grande renommée, le Muscadet La Sablette de Marcel Martin. Et puis un cran au-dessus, le Muscadet de Guy Brossard.

En Bourgogne, le Chardonnay vaut son pesant d'or. Difficile de trouver de bons vins blancs à petit prix. Les Meursault et Chablis sont hors de portée. Il vaut mieux se rabattre sur le Mâcon ou le Beaujolais avec un Saint-Véran 1987 de Dubœuf, un Pouilly-Vinzelles 1986 de Moreau ou le Bourgogne Chardonnay 1988 de Drouhin.

Comme les cigognes, les amateurs reviennent peu à peu aux vins blancs d'Alsace, délicieusement secs ou fruités, joyeuse compagnie des mois d'été. En tête de liste, le Diamant 1988 — Pinot Blanc, de Sparr ; le Gewurztraminer 1988 de Wolfberger, en parfaite harmonie avec la cuisine chinoise et les mets épicés ; le Riesling 1987 de Hugel ; et le Muscat 1988 — Cuvée de la Comtesse de Wolfberger, en bouche, comme si l'on écrasait à pleines dents ce raisin au goût incomparable.

Parmi les vins rouges de l'été, les traditionnels beaujolais et surtout les vins rouges de la Loire, Bourgueil, Chinon, Saumur Champigny, Touraine, tous servis légèrement frais aux alentours de 14 degrés Celsius, vous feront passer des moments agréables avec les viandes grillées au charbon de bois. Avec des côtelettes d'agneau cependant, j'aurais un penchant pour les bordeaux génériques légers comme le Maître d'Estournel 1988 de Bruno Prats ou le Château-de-Parenchère 1986 — Bordeaux supérieur. Tous les vins

rouges précités se vendent entre 10 dollars et 12 dollars.

En tout état de cause, le principe à retenir est celui-ci : l'on n'ouvre pas une grande bouteille d'un grand cru, ni des vins costauds et charpentés, à des extérieures de 22 à 28 degrés. Ces vins requièrent un peu de patience, et il faut attendre l'hiver pour les servir.

IL FAUT BOIRE PENDANT QU'IL
EN EST ENCORE TEMPS...

COMME À PEU PRÈS TOUS
les propriétaires de caves, je suis affligé de ce côté
radin qui me fait reporter de semaine en semaine, de
mois en mois, quand ce n'est pas d'année en année, la
dégustation des précieuses bouteilles jalousement conservées pour les bonnes occasions. Or, l'avare qui sommeille en moi ne trouve jamais l'événement assez important pour déboucher les quelques grands crus dont
la possession me procure plus d'ivresse et d'orgueil
que de plaisir à les boire. À ce jeu, le risque est énorme
que les années passent... et les bouteilles aussi !

Non seulement il faut boire avant de mourir, comme
le dit avec tant de sagesse la chanson populaire, mais
encore faut-il être en état de goûter, c'est-à-dire garder
bon pied, bon œil, bon estomac, bon palais et bon nez.
Aussi, entamant bientôt ma sixième décennie, ai-je pris
la résolution d'ouvrir mes meilleures bouteilles à la
moindre occasion au lieu que d'attendre les très grands
anniversaires ou les rares événements dont la vie n'est
pas si prodigue. Je commencerai donc par l'unique
bouteille de Romanée-Conti que je possède, du millésime 1973 au demeurant guère réputé ; suivront dans
l'ordre les quelques La Tache, Richebourg, Grands
Échezeaux, de la même année. Et, à défaut d'occasion,
je les boirai seul, dans le silence opaque de ma cave,
avec mes souvenirs éclairés par la lumière blafarde

d'une bougie. Une scène analogue est admirablement décrite par Maurice Rheims dans son livre *Le Saint Office* qui raconte l'histoire d'un aristocrate et de son maître d'hôtel. Ce dernier, n'ayant pas vu son patron depuis quelques jours, le retrouve dans la cave, l'œil joyeux et le teint couperosé, s'enfilant derrière la cravate les meilleurs crus du monde avant de passer l'arme à gauche.

Ma résolution sera au reste confortée par une expérience toute récente, vécue en compagnie de quelques amis que j'avais invités à partager le pain et le vin. En guise d'apéritif, foin de la dépense, j'ouvris un Dom Pérignon 1978, ne me souciant guère de la valeur marchande du produit et espérant lire sur le visage de mes invités les signes du ravissement et de l'extase, récompense suprême des propriétaires de bonnes caves. Rien de tel n'arriva. Tout au plus, quelques commentaires polis entre deux ou trois conversations animées. Je compris tout, en dégustant moi-même le précieux liquide que je croyais promis à des plaisirs paradisiaques : le temps avait trop fait son œuvre et, contrairement à l'avis des connaisseurs qui affirment que les grands champagnes peuvent tenir le coup pendant une ou deux décennies, celui-ci n'était plus guère qu'« honnête ». Bonnes odeurs de noisette et d'amande grillée, finesse et délicatesse des bulles, mais rien de supérieur aux bons champagnes des millésimes 1982 et 1983 que l'on trouve encore sur le marché à des prix se situant au tiers de celui du Dom Pérignon.

J'eus plus de succès en revanche, à la fin du repas, avec un cognac nouvellement arrivé à la S.A.Q. et produit par une petite maison, sous le nom de Léopold Gourmel. Ce producteur, qui élève ses cognacs comme du vin, c'est-à-dire avec ses propres vignes de Fins Bois, sans assemblage, sans caramel ajouté pour donner de la couleur au produit, est probablement l'un des plus scrupuleux et des plus méticuleux de toutes les maisons qui ont pignon sur rue dans la région cognacaise.

Quoi qu'il en soit, je retiendrai désormais la leçon. De plus, compte tenu de l'espérance de vie qui me reste, je n'hésiterai pas à déboucher mes vieilles bouteilles à tout venant, un tien valant mieux que deux tu l'auras. Et qui sait si cette bonne résolution ne fera pas de moi, tout compte fait, un beau et joyeux centenaire !

HISTOIRE VRAIE

Un vieil ami m'invite à dîner le soir de mon anniversaire de naissance. Il m'accueille éploré en me disant que le Gevrey-Chambertin 1937 qu'il a débouché une heure auparavant est complètement «passé» et qu'il le destine à l'évier. Le repas commence. La bouteille, poussiéreuse et orpheline, s'ennuie sur une desserte. Un doute m'envahit et je demande à goûter. La couleur de la robe est celle des grands soirs de bal. Le vin s'accroche aux parois du verre. La jambe, longue et effilée, me rappelle Cyd Charisse, juvénile émoi de ma boutonneuse adolescence... Je plonge mon nez dans le verre. Le bouquet est un véritable feu d'artifice aux odeurs nuancées, complexes, indescriptibles. J'entends Mendelssohn. En bouche, la chair est pleine et savoureuse. Je ne bois pas, je mâche dans la cerise, la framboise et la truffe. Mon palais est envahi par de longues et délicieuses caudalies. La terre a encore produit un coup de génie dont je garderai l'inconsolable mémoire.

Moralité : mon ami avait goûté au vin quelques minutes après l'ouverture de la bouteille. La violence extrême des odeurs et du goût lui avait fait conclure à une bouteille perdue. Pendant quelques heures, chose rare pour les bourgognes, le temps avait fait son œuvre et reconstitué les multiples splendeurs du sang de la terre. J'ai pensé mesquinement, l'espace d'un moment, me réserver à moi tout seul ce pur chef-d'œuvre. Mais mon frère aîné, médecin de profession et amoureux du vin, avait lu l'enchantement sur mon visage et ne voulut pas être en reste.

De toute manière, il n'y a de vraie joie, en matière de vin comme en tout, que dans le partage.

Yves Michaud

DE LA DÉGUSTATION

*Le goût du vin n'est pas un crime et il en fait
rarement commettre. Pour une querelle passagère
qu'il cause, il forme cent attachements durables.
Les buveurs ont de la cordialité,
de la franchise : ils sont presque tous bons,
droits, braves et honnêtes gens.*

Jean-Jacques Rousseau

V

DES ARÔMES ET

DU BOUQUET

L E NEZ EST À L'AMA-
teur de vins ce que l'archet est au violon. Sans l'un,
pas de musique, et sans l'autre, pas de véritable plaisir
de la dégustation du vin. L'appendice nasal est la trom-
pette annonciatrice de ce que l'on va boire : fugue pour
les vins jeunes, mélodie en sous-sol pour certains crus
bourgeois et petits vins de propriété, concerto pour le
champagne, symphonie inachevée pour les millésimes
portés aux nues mais qui n'ont pas tenu leur promesse,
grandes orgues pour les vieux bourgognes et bordeaux,
requiem pour les bouteilles qui ont passé le cap de la
maturité. Tout le vocabulaire musical pourrait y passer.

Le malheur de notre temps, c'est que nous ne sentons plus rien ou presque. Qui d'entre nous a récemment
senti l'odeur d'un brin d'herbe, celle du foin coupé ou
tout bonnement celle des entrailles de la terre ouverte
par la charrue au temps des semailles ? Parqués dans
des cages de verre, de 9 à 5, où il est impossible d'ouvrir
une fenêtre pour respirer quelques secondes l'odeur du
printemps, nous disposons d'un sens olfactif qui se
confine au gaz carbonique ou aux effluves innommables
des bouches de métro.

Heureusement qu'il reste le vin pour nous restituer
quelque peu à l'état de nature et nous faire redécouvrir
le monde fascinant des odeurs, sans aller toutefois

jusqu'au joyeux délire des dégustateurs patentés qui peuvent recenser plus de deux cent cinquante nuances odorantes dans tous les types de vins; ni jusqu'à la perversion de cet ami parisien, jouisseur invétéré et séducteur de profession, qui gardait la mémoire de ses conquêtes féminines par le parfum du vin : Martine sentait le Chambolle, Catherine le Beaujolais, Josette le Riesling et Françoise le Pomerol ...

« On nous apprend à écrire, à lire, à écouter, mais jamais à sentir, écrit Jean Lenoir. Notre éducation attache la plus grande importance à l'ouïe et à la vue, mais ne tient pratiquement aucun compte de l'odorat. À quand l'alphabet des odeurs ? Le sens olfactif est la source de plaisirs aussi exaltants pour certaines personnes que peuvent l'être la musique ou la peinture. C'est le sens le plus ancien chez l'homme : celui qui lui permettait de trouver sa nourriture en la flairant et qui dictait ses comportements sexuels. » Jean Lenoir est l'auteur de ces merveilleux ouvrages *Le nez du vin*, coffrets-livres d'arômes essentiels presque indispensables — hélas à des prix émouvants — à ceux et celles qui veulent approfondir leurs connaissances ou exercer leur sens olfactif pour s'y retrouver dans les arômes du vin.

Je mesure ma profonde ignorance, visage béat et sourire en coin, lorsque j'entends un dégustateur décliner les arômes primaires, secondaires et tertiaires de tel vin blanc après deux ou trois coups de nez : pêche, mangue, abricot, beurre et vanille avec une touche de noisette et un zeste de miel par-dessus le marché. Béotien que je suis, je peux à la rigueur sentir la cerise dans le gamay, la framboise et la violette dans le cabernet franc, le beurre et la vanille dans le chardonnay, les épices dans la syrah, le pruneau et la truffe dans les vieux cabernet sauvignon, le chêne et l'amande grillée dans certains champagnes, la pomme et le miel dans les Coteaux du Layon, et dans de rares cas, le poivron vert dans les Côtes-du-Rhône ou le poivre tout court dans les Chambolle-Musigny d'un certain âge.

Et c'est déjà une prouesse, me direz-vous. Mais j'avoue que j'y perds quelque peu mon latin dans le genièvre, le thym et la girofle, quand ce n'est pas l'églantine, le magnolia et la verveine, toutes odeurs qui ne font pas partie de mon patrimoine olfactif.

La France, éternelle, une et indivisible, jacobine jusqu'au bout des ongles a, depuis des lustres, l'agaçante manie de tout ramener à son hexagone. La truffe, le coing, le cassis et l'acacia sont aussi étrangers à l'appendice nasal des Québécois que peuvent l'être pour les Français l'érable, la mélasse, la cassonade ou le beurre d'arachide.

Je ne veux pas en faire un plat, mais cette simple remarque, en passant, pourrait inciter la France chauvine à s'ouvrir un tant soit peu au monde des odeurs, qui ne se limite pas nécessairement à ses frontières.

Pour Émile Peynaud, «l'apprentissage des odeurs se fait dans la nature et chez les parfumeurs. Si l'on n'a pas eu dans son jeune âge la curiosité des odeurs, il faut organiser leur chasse en prospectant, le nez en avant, chaque saison, le jardin, froisser une feuille, respirer une fleur, écraser un fruit, mettre son nez dans la collection d'épices, sentir les fines herbes du cuisinier, respirer attentivement une eau de toilette, un savon, reconnaître — tiens, tiens! — le parfum d'une dame.»

Si vous me surprenez, ami lecteur, le nez plongé dans le corsage d'une jolie femme au cours d'une réception prochaine, vous comprendrez — et la jolie dame aussi, je l'espère! — que ce n'est pas par luxure, mais pour parfaire mon apprentissage des odeurs et ma connaissance du vin.

Venez, ô parfums désirés!

À UNE VITESSE DE QUINZE
CRUS À L'HEURE

CE QUI EST POUR MOI presque à la lueur de l'aube, c'est-à-dire huit heures du matin, nous sommes quelque deux cents personnes dans un grand hôtel de Montréal à participer à une dégustation d'une soixantaine de crus bourgeois du Médoc, organisée par le service des Activités promotionnelles de la Société des alcools du Québec. Il y a du beau monde à ce rendez-vous insolite : les « huiles » du monopole d'État, président en tête, le Dr Jocelyn Tremblay, Jacques Benoit de *La Presse*, Michel Phaneuf des Amitiés bachiques, l'équipe de dégustateurs de *Vins & Vignes*, des agents promotionnels, une brochette de médecins amoureux du vin venus de tous les coins du Québec dont le Dr Champlain Charest (sa réserve à de quoi à faire mourir de jalousie nombre de collectionneurs), des amateurs de tout âge ; bref, toute la famille est là, y compris les cousins et cousines les plus éloignés.

Détrompez-vous : nous ne sommes pas conviés à une partie de plaisir. Il faudra renifler une moyenne de quinze vins à l'heure et nous les envoyer dans la fosse buccale, en notant pour chacun d'eux les quatorze caractéristiques de base qui composent l'examen obligatoire de tout vin digne de ce nom : limpidité, brillance, teinte et intensité de couleur pour l'aspect visuel ; netteté, intensité, finesse et harmonie pour l'aspect olfactif ;

netteté, intensité, corps, harmonie, persistance et arrière-goût pour l'aspect gustatif.

L'atmosphère est celle d'une grande salle d'examens pour une admission dans une grande école. C'est dans un silence de cathédrale que nous jugerons, verre après verre et crachoir à portée de bouche, près de soixante — cinquante-huit exactement — crus bourgeois du Médoc du millésime 1986, dont on dit déjà qu'il se place à égalité avec le 1985, avec des chances de l'emporter à la ligne d'arrivée.

Il ne manque aucune appellation : Médoc, Haut-Médoc, Margaux, Pauillac, Saint-Estèphe, Saint-Julien, Moulis, Listrac. On verra bien comment les propriétaires tirent profit du cabernet sauvignon, du merlot, du cabernet franc et, dans une proportion moindre, du petit verdot et du malbec, cépages de prédilection de la terre bordelaise. Tout y passe : les robes rubis, pourpres et violacées, des arômes de fruits mûrs, de vanille, de boisé, de violette, des tanins riches, moins riches, souples et durs, persistance du goût et de l'arrière-goût, finesse des textures, équilibre acidité-alcool, il faudrait un nez de forçat et un palais de prince pour s'y retrouver dans ce feu d'artifice. Je remplis soigneusement mes fiches et ô miracle ! à l'heure du déjeuner, elles correspondent peu ou prou à celles des commensaux qui partagent le pain et le vin à ma table. L'honneur est sauf. Dans le cas contraire, j'en aurais été quitte pour passer pour un ignare, au coût de 200 dollars l'inscription...

Avec toutes les précautions et réserves qui s'imposent en matière de dégustation, le goût étant souvent à la lisière de la subjectivité et de l'événementiel, voici les vins qui m'ont donné des coups au cœur :

Château La Tour de By, dans le Médoc ;

Château Magnol, Château Arnauld, Château Citran et Château Bel Orme Tronquoy Lalande, dans le Haut-Médoc ;

Château de Pez, Château Meney et Château Pheland-Segur, dans le Saint-Estèphe ; et

Château Poujeaux, dans le Moulis.

Bouches râpeuses en moins et papilles dopées par une telle avalanche de sensations, cette dégustation de crus bourgeois 1986 menée à terme par la S.A.Q. (et son directeur des Activités promotionnelles, Daniel Farèse) valait le déplacement. Son succès incontestable, tant par le nombre des participants, la qualité de ces derniers, que par l'ordinaire bien rodé de la journée, est révélateur du progrès que les Québécois ont réalisé en matière de connaissance des vins. Il n'est pas étonnant que Don Jean Léandri, présent à la dégustation, se classe parmi les cinq grands sommeliers du monde. Et la relève s'en vient.

« Si l'on refaisait le classement des crus classés de 1855 et que l'on incluait les crus bourgeois du Médoc, dit Jean-Paul Gardère, expert-viticole invité pour l'occasion, nous pourrions avoir de grandes et divines surprises. Les crus bourgeois sont des vins "sérieux" qui ne bénéficient pas de la notoriété mondiale des grands crus classés, mais nombre d'entre eux se tailleraient facilement une place dans le classement de 1855. »

Difficile d'en disconvenir. Je cours, de ce pas, remplir ma commande d'une douzaine de caisses en espérant que la S.A.Q. a fait bonne provision du millésime 1986 et que le Seigneur me prêtera vie pour accompagner mes bouteilles dans leur évolution. Dans le cas contraire, il y aura une belle chicane parmi mes héritiers...

D'UNE BOUTEILLE À L'AUTRE

IL N'Y A PAS DE GRANDS vins, il n'y a que de grandes bouteilles, disent les amateurs chevronnés, familiers des meilleurs millésimes et sans cesse à la recherche de la perle rare. J'ai eu l'occasion de vérifier cet aphorisme en compagnie d'un producteur et négociant-éleveur de Bourgogne.

Le nombre de participants, environ une dizaine, était propice au jeu des comparaisons. À l'apéritif, deux bouteilles de champagne René Lalou 1973. La première est plate comme un mannequin de haute couture, les bulles à peu près introuvables, la couleur indéfinissable, et le goût rappelle celui d'un premier cru de Bourgogne fatigué d'avoir mené une vie de patachon. La deuxième bouteille, sagement rangée à côté de la première, est de meilleure venue, encore qu'elle ne mène pas aux grandes extases et aux exclamations sublimes. Le gaz carbonique est suffisamment présent pour exciter les bulles, la couleur est joliment teintée de reflets dorés ; fin goût de noisette en bouche et finale honnête. Mais dans l'ensemble, c'est plutôt mal parti.

À table, avec le saumon mariné à l'aneth, on nous sert deux Meursault 1978 de Barton et Guestier, servis à la température idéale de 10 degrés Celsius. La première bouteille est à ce point méconnaissable que mon invité, le nez plongé à longueur d'année dans les barriques de sa Bourgogne natale, ne sait plus à quelles narines se vouer. Les arômes du cépage chardonnay sont inexistants, la robe est pâlotte et le goût à peine plus étincelant que celui d'un bon bourgogne blanc générique d'un millésime moyen. La deuxième bouteille, en revanche, tient ses promesses. La robe est ambrée, le parfum subtil, sa rondeur faisant oublier la maigreur de la première ; goût de caramel et d'amandes grillées propre au cépage, bonne finale. Il était temps ! Ma réputation risquait d'en prendre un coup.

Avec le rôti de veau, j'avais choisi deux bouteilles de Langoa Barton 1975, grand cru classé de Saint-Julien, célébré comme un millésime exceptionnel par tous les oracles de l'époque. Cette fois-ci, les deux bouteilles avaient évolué de même manière, rigoureusement identiques l'une et l'autre : la robe est d'un magnifique « rouge vin », le bouquet sent bon la terre, la truffe et le pruneau, mais en bouche, les tanins sont encore trop présents pour que l'équilibre soit parfait. Après quinze ans de bouteille, il est encore impérieux d'attendre !

Pour le fromage, retour en Bourgogne avec un Bonnes-Mares 1971, servi à 16 degrés, température que j'estime idéale pour les grands vins vieux de Bourgogne. Je ne dis mot et j'attends les commentaires de mon invité : « Des bouteilles comme celles-là, j'en bois une ou deux par année, et encore. » Il faut dire que nous touchions le « presque parfait ». Le plus « féminin » des grands crus de Bourgogne révèle ici toute sa grâce et son élégance : le sentir, c'est déjà s'enivrer et l'on en éprouve tellement de plaisir que l'on retarde l'attaque en bouche, laquelle, soit dit en passant, n'est pas piquée des vers. Le pinot noir du Musigny à son meilleur dont Hugh Johnson dit « qu'il se déploie dans la bouche comme une queue de paon puis s'épanouit encore pour devenir plus complet et plus séduisant quand on l'avale ».

Je n'ai jamais tant mesuré la justesse du sage conseil qui veut que la dernière bouteille fasse oublier toutes les autres... L'honneur est sauf! Mon producteur peut rentrer chez lui et dire à tout venant qu'au pays du Québec, il se trouve encore des «joyeux enfants de la Bourgogne» qui savent évoluer et vieillir au fil de nos jours frileux et enneigés.

Il est temps d'aller dormir. La digestion sera légère, le sommeil réparateur et le réveil triomphant.

CES MERVEILLEUX DÉPÔTS
EN BOUTEILLE

SI VOUS AVIEZ VU LA TÊTE de cet ami à qui je montrais récemment un Musigny 1971, orgueil de ma modeste cave, vous seriez tombé des nues. À la lumière blafarde d'une ampoule de petite intensité, il décela au fond de la bouteille des dépôts qui, sans aller jusqu'à le faire vomir, lui firent très mauvaise impression. Il n'en souffla mot mais je sentis à sa mine déconfite que je venais de baisser de plusieurs crans dans son appréciation de mes connaissances œnologiques.

La civilisation nord-américaine nous a habitués à un monde aseptisé, javellisé à outrance, plus blanc que blanc et à bon nombre de niaiseries de cette nature. Il n'est que de recenser les messages publicitaires de la télé à propos de lessive, de récurage des parquets ou de flore microbienne dans la chasse d'eau pour observer notre comportement de maniaques devant la moindre poussière et la plus insignifiante impureté.

En matière de vin, probablement plus qu'en toute chose, il ne faut pas se fier aux apparences. Les dépôts dans une bouteille d'un certain âge sont au contraire révélateurs du vieillissement du vin, de son âge, de sa qualité et, dans la majorité des cas, de l'absence de manipulations douteuses faites dans le but de lui donner belle apparence. Mais entendons-nous bien : nous parlons ici de bouteilles qui ont subi l'épreuve du temps et non des millésimes récents. Si vous observez des dépôts dans un flacon de cette année ou de l'année dernière, c'est que la vinification a été ratée ou que la mise en bouteille a été mal faite.

Ce qui m'amène à poser la question cruciale : faut-il ou non décanter? Voilà la question. Il y a autant de théories que d'œnologues et d'amateurs et bien malin qui pourrait fournir une réponse absolue à ce sujet. L'on peut cependant répondre dans l'affirmative pour les vieux bordeaux tandis que je serais beaucoup plus réservé pour les vieux bourgognes. Dans le premier cas, le cabernet sauvignon gagnera à être oxygéné par le passage du vin de la bouteille à la carafe, tandis que le pinot noir du bourgogne risque de perdre sa merveilleuse complexité et ses divins arômes lors du passage brutal du flacon à la carafe.

Tout se joue parfois en l'espace de quelques minutes pour les vieux bourgognes. Il y a un monde de différence entre un verre servi à la bonne température (16 à 18 degrés), directement de la bouteille et bu dans les instants qui suivent, et le même vin qui aura reposé dans le verre et sera dégusté quinze à vingt minutes plus tard. J'en fis un jour l'expérience au cours d'un dîner de bonne venue chez des amis. Bavarde comme une pie, ma voisine de droite avait oublié de boire son verre d'un magnifique bourgogne jusqu'au dessert. À la dérobée, je glissai doucement son verre vers moi pendant le déluge des patati et patata et j'y trempai mes lèvres, heureux d'une aussi bonne fortune. Ce que j'avais bu quinze minutes auparavant était devenu méconnaissable : odeurs évanescentes, bouquet disparu, corset détaché, le vin avait perdu son âme et moi un peu de ma réputation en me livrant à un tel larcin en docte compagnie.

En conclusion, la décantation du vin ne se justifie que pour des bouteilles qui le méritent, c'est-à-dire parvenues à un degré honorable de vieillissement et de maturité, de quinze à vingt ans d'âge et au-delà. Pour des millésimes plus récents, la décantation verse, si j'ose dire, dans le cirque, le snobisme et l'épate. On se méfiera des restaurateurs qui serviront les vins jeunes ou d'un âge moyen dans un joli panier d'osier, avec des précautions de puéricultrice. Cette mise en scène inutile est de mauvais goût et ne sert qu'à impressionner les badauds.

À l'opposé, je me souviens encore avec horreur de cet hôte bien nanti qui trimballait comme des ballons de football les vieux Romanée-Conti, Richebourg et La Tache qui enchantèrent ce repas mémorable auquel il nous avait convié. Il n'y eut pas trop de casse, fort heureusement, mais un peu de précautions eussent été de mise.

ENTRE BOIRE ET DÉGUSTER

IL Y AURAIT DE QUOI pavoiser, si l'on se fie au communiqué de presse émis par la Société des alcools du Québec, à la suite de la dégustation des grands vins de Bordeaux 1986 : « Nous pouvons être fiers, dit-on triomphalement, car nous contribuons à ce que le Québec se range parmi les ténors mondiaux des grandes villes à travers le monde qui se distinguent par ce genre d'activités. »

Moi, je veux bien, à la condition que la corvée de la dégustation ne m'enlève pas le plaisir de boire. Et c'est là le grand danger de tous ces savants exercices gustatifs qui, tout en atteignant souvent des hauts sommets scientifiques, me privent parfois du simple plaisir de boire une bonne bouteille. Soixante crus bourgeois du millésime 1986, une autre soixantaine de crus classés de Bordeaux de même millésime quelques mois plus tard, il y a de quoi éprouver l'endurance d'un honnête homme.

Goûter à la queue leu leu un Château Latour, un Château Mouton-Rothschild, un Château Margaux, un Château Palmer, un Haut-Brion, un Château Ausone, un Château Pétrus, un Château Cheval Blanc, plus une cinquantaine d'autres de grand panache, en retenir la substantifique moelle, nuancer pour chacun la couleur, les arômes, l'attaque en bouche, la finale, la persistance, juger du bon équilibre entre l'acidité et les tanins, évaluer leur potentiel de vieillissement, anticiper leur évolution pour les dix ou vingt prochaines années, attribuer à l'un et à l'autre des notes de concours comme s'il s'agissait d'un examen de doctorat à la Sorbonne, voilà qui accule à l'épuisement, relève de la haute voltige et exige une concentration à laquelle je me résous toujours à grand-peine. J'ai en outre l'impression qu'il me passe en ces occasions des merveilles sous le nez et dans la bouche avec la sensation gênante de faire l'amour à la hussarde, et à répétition par surcroît.

Tout cela n'enlève rien à l'admiration inconditionnelle et béate que j'éprouve à l'égard des forçats du verre et des bagnards de la dégustation, qui se livrent à ce genre d'exercice avec une compétence de grand technicien, un sérieux de technocrate et une application de moine, apportant ainsi au merveilleux monde du vin, lieu du plaisir, de la frivolité et de la gaieté, un contrepoint de gravité fort honorable.

Vous pourriez croire, par exemple, que pour la simple opération d' « attaque », soit un seul des éléments de l'art de la dégustation qui en compte plus d'une douzaine, il suffit simplement de porter le verre aux lèvres. Détrompez-vous ! Il s'agit là d'une technique, d'une science, d'un art, décrits avec minutie par Émile Paynaud, autorité mondiale en matière de dégustation et auteur du *Goût du vin,* bible incontestée des professionnels :

> *« Regardons, écrit Émile Peynaud, opérer un dégustateur et suivons de près la confrontation entre son palais et le vin. Il soulève et incline le verre vers les lèvres, la tête légèrement penchée en arrière, dans le geste habituel de boire. Mais il ne laisse pas couler le vin par gravité, librement, comme lorsqu'on boit ; il le retient et l'aspire doucement, bouche ouverte et lèvres en avant, le bord du verre appuyé sur la lèvre inférieure. La pointe de la langue vient au contact du liquide entre les mâchoires*

écartées. Le vin s'écoule sur la langue, tenue plate et étalée, qui le maintient dans l'avant-bouche. Les muscles des joues et des lèvres savent admirablement profiter de la respiration pour augmenter et diminuer la pression dans la cavité buccale, sans que le goûteur y réfléchisse, et tous les mouvements du vin pendant qu'il déguste sont ainsi provoqués par une aspiration ou un refoulement d'air savamment dosés. Cette prise de vin s'accompagne d'une première inspiration par la bouche ouverte de vapeurs odorantes qui viennent participer aux impressions de l'attaque. » [Ouf!]

Notez que cet extrait n'est qu'un paragraphe d'un imposant livre de 240 pages, au demeurant admirablement bien fait, consacré à l'art de la dégustation. Contrairement à monsieur Jourdain qui faisait de la prose sans le savoir, ne s'improvise pas dégustateur qui veut. C'est là un métier, une profession, que dis-je un sacerdoce, aux règles bien définies, à la discipline de fer, et une vocation en somme quasi monastique. D'où l'océan d'humilité dans lequel je me noie devant les auteurs des guides des vins, capables en une seule année d'attribuer à des milliers et des milliers de bouteilles des notes d'examen à l'usage des consommateurs avertis.

Boire et déguster appartiennent à deux mondes différents. Si vous êtes à mon exemple et, comme le commun des mortels, amateur de bonne chère et de bons vins, raisonnablement jouisseur et porté quelque peu sur les plaisirs, vous appartenez au premier. Si vous êtes tenté d'entrer dans le second, celui de la dégustation, préparez-vous à une longue marche, à un redoutable entraînement, à une discipline de spartiate allant jusqu'au cruel sacrifice de cracher votre gorgée de Château Pétrus dans la sciure de bois afin de maintenir vos sens en éveil et vos idées claires.

Le jour où vous parviendrez à observer ce rituel sans faille, sans un geste et sans un soupir, ce jour-là mais seulement ce jour-là, vous parviendrez au niveau de sainteté qui vous classera parmi les professionnels de la dégustation.

En attendant, bonne chance et... bon courage !

ENTRE LE BLANC ET LE ROUGE

L'ANECDOTE QUI SUIT REmonte au temps de mon apprentissage de la dégustation des vins. J'en ai encore le souvenir vivace parce qu'elle me fit descendre dans les profondeurs abyssales de l'humilité. J'avais entendu dire que les plus grands œnologues avouaient se tromper plus souvent que de raison entre un vin rouge et un vin blanc de même cru et de même millésime. Tout cela « à l'aveugle », comme de bien entendu.

J'en fis donc l'expérience, un jour que l'un de mes amis m'affirma haut et court qu'il pourrait faire la différence entre un vin blanc et un vin rouge. Nous prîmes pari sur-le-champ et je descendis dans ma cave chercher une bouteille de blanc et une de rouge que je jugeai propices à l'expérience. De rouge et de blanc de grand cru de même millésime, *niet !* Je me rabattis donc au hasard et à vue de nez sur un Musigny 1971 et un Corton-Charlemagne 1972 que j'ouvris prestement dans la cuisine alors que ma femme bandait les yeux de mon camarade à la colin-maillard.

Tremblant de peur, je versai le liquide à parts égales dans deux verres, et j'invitai mon ami à se prononcer séance tenante. Il le fit en se fourvoyant trois fois sur cinq, confondant le blanc avec le rouge et vice versa. Du même vin, présenté à deux reprises à son verdict, il le déclara tantôt rouge, tantôt blanc. Le pari était tenu, l'imprudent humilié et mon honneur sauvé par la peau des dents. Là où les choses se compliquèrent, c'est lorsque l'on m'invita à faire la même expérience suivant le même scénario. Fantasque sans vouloir le montrer, fort de la connaissance des vins que j'avais servis puisqu'ils faisaient partie de ma réserve personnelle, je me disais que ce serait un comble si je n'arrivais pas à départager le blanc du rouge et inversement.

Le résultat ne fut pas beau à voir. Deux erreurs sur cinq, une de moins que mon camarade, et je me demande encore si ce léger avantage ne fut pas tout bonnement le fruit du hasard plutôt que celui de l'analyse olfactive et gustative des deux vins.

Mais le bouquet de toute cette histoire, si j'ose ainsi dire, fut lorsque ma voisine Line Chevrette, médecin de profession, arriva à un score parfait de cinq sur cinq par la seule impression olfactive des vins, sans qu'elle eût une seule fois à tremper ses lèvres dans le liquide. Comment diable a-t-elle pu, sans coup férir, reconnaître les somptueuses nuances de vanille, de miel et de cannelle du Corton-Charlemagne et les départager du bouquet séduisant, souple et épicé du Musigny, dont on dit à juste titre qu'il est le plus « féminin » des grands vins de Bourgogne ? Que faisions-nous dans cette galère, soi-disant connaisseurs et amateurs présumément avertis, pour nous retrouver au terme de cette aventure Gros-Jean comme devant, coiffés au poteau d'arrivée par une demi-initiée, modeste comme il n'est pas permis, avec son sourire persifleur de Joconde triomphante ?

Ami lecteur, je vous en conjure au nom de l'amour du vin et du plaisir de la bouteille, n'affirmez jamais que vous pouvez faire la différence entre un vin blanc et un vin rouge, sauf si vous exigez que le blanc soit servi à une température de 10 à 12 degrés Celsius et le rouge entre 15 et 16. Et encore ! À température égale, à la sortie de la cave, vous risquez, comme mon ami et moi, de vous couvrir de ridicule, surtout si ces mêmes vins sont de même cru et de même millésime. J'avoue que depuis le temps, je n'ai pas renouvelé cet essai qui en dit long sur notre capacité d'erreur en présence du mystère grandiose de la vigne et du génie créateur de la Nature.

Un jour, si mon ami m'y invite, peut-être referai-je l'expérience, mais en me gardant bien cette fois de toute affirmation péremptoire et ex cathedra, me souvenant qu'entre le blanc et le rouge, la nuance est souvent imperceptible et que plus d'un nez, plus d'un palais, ont été souvent confondus.

Je vous souhaite néanmoins de faire de telles dégustations, quitte à ce que vous vous retrouviez blessé dans votre amour-propre, mais singulièrement enrichi dans votre connaissance du vin.

POUR Y VOIR CLAIR DANS
LES DÉGUSTATIONS À L'AVEUGLE

SOUS LES APPARENCES DE la pure objectivité, bon nombre de concours sont organisés un peu partout dans le monde, y compris aux Sélections mondiales de Montréal, tous les deux ans, pour déterminer, parmi dix, vingt, cent, et mille produits présentés à l'analyse des dégustateurs, ceux qui sont dignes de prendre place sur le podium à ces olympiades de l'odorat et du goût. Je dis «apparence d'objectivité» non pas pour mettre en doute le caractère rigoureusement honnête de la plupart de ces compétitions, mais pour m'interroger sur la part de subjectivité et la marge d'erreur humaine qui entourent l'art, ô combien difficile ! de la dégustation.

Les risques d'erreur ne manquent pas. La rédactrice en chef de la *Revue du vin de France*, Chantal Lecouty, auteur de l'excellent ouvrage *Madame et les vins*, raconte dans la préface de son livre l'anecdote suivante :

> « *Par défi, un caïd du palais propose à un de ses pairs, notoirement connu pour ses grandes compétences, de goûter vraiment à l'aveugle, c'est-à-dire les yeux bandés, différents vins rouges puis, malicieusement, lui présente en douce un verre de vin... blanc ! Le croiriez-vous ? L'autre a hésité, longuement sniffé, fait rouler le vin en bouche tout comme il faut... et avancé avec aplomb le nom et l'année d'un*

grand vin... rouge ! Il s'était magistralement trompé ! Lui, le grand expert, bardé de peaux d'âne œnologiques en tout genre, avait confondu un vin blanc et un vin rouge ! La honte absolue ! »

Encore que, dans le cas des Sélections mondiales de Montréal, les dégustateurs procèdent ou par cépages ou par catégories bien délimitées, vins populaires, vins de connaisseurs, mousseux, vins de prestige, etc., le nez en bataille et les yeux grands ouverts, il ne faut pas se fier aveuglément, c'est le cas de le dire, aux proclamations des experts. C'est du moins ce qu'en pense Max Léglise, directeur de la Station œnologique de Bourgogne, opposant farouche des dégustations à l'aveugle, qui vient tout juste d'apporter une contribution de premier plan à ce débat passionnant.

« L'appréciation de chaque vin, écrit-il, est modifiée en partie par les rémanences du précédent : un vin sec, dégusté derrière un vin souple, paraît ferme ou vif ; un vin léger derrière un vin gras paraît mince ou faible ; un vin tanique derrière un vin rond paraît rude. En outre, le même vin dégusté deux fois de suite en début et en fin de série pourra être pris pour deux échantillons différents, tandis que deux vins différents pris en fin de série seront souvent ressentis comme presque identiques. »

Ce témoignage éloquent, venant d'un homme qui a passé quarante ans de sa vie à déguster plus de cinq mille échantillons de vin par an pour un total de plus de deux cent mille dégustations, en dit long sur le monde extrêmement complexe du vin et les jugements ex cathedra des experts qu'il faut toujours recevoir en tenant compte de l'erreur humaine. En d'autres termes, il n'y a pas de palais parfait ni de nez infaillible. Raoul Salama, champion du monde des dégustateurs amateurs, l'avoue d'ailleurs avec franchise : « Quand je déguste à l'aveugle, je me plante une fois sur deux ou trois ! »

Si ce n'est par fantaisie occasionnelle, n'abusez donc pas des dégustations à l'aveugle qui ne mènent à peu près nulle part, tout en minant la juste confiance que vous avez dans votre goût. Au reste, vous n'en sortirez jamais vivant, si j'en crois le dernier jugement de Max Léglise, qui conclut admirablement le débat en ces termes :

> « *Dans le grand public, la musique de chambre ne tient pas le coup devant le rock, le roman-feuilleton écrase la littérature intimiste, l'aquarelle disparaît devant la peinture au couteau ou au pistolet. Il en est de même à la dégustation. Les vins d'une grande finesse, tout en nuances, aux arômes délicats et originaux, ceux qui se goûtent « par le nez » et pour ainsi dire du bout des lèvres, sont toujours éliminés, par la dégustation aveugle, au profit de ceux où dominent l'alcool, la « mâche », le gras, les arômes intenses de confiserie industrielle ou de cuisine exotique et la sensation d'en donner plein la bouche.* »

Max Léglise, faut-il le rappeler, est Bourguignon. D'un pays où l'on fait encore, eh ! oui, les meilleurs vins du monde. Un Musigny en bouche, c'est du Mozart en robe de chambre. De la soie, de la dentelle, de la finesse, de l'élégance, et un parfum de Renaissance italienne sous les narines. Votre verre se transforme en « flûte enchantée ». Buvez lentement, savourez cette symphonie en mineur et laissez aux autres, si tel est leur bon plaisir, les cavaleries de Wagner ou les charges héroïques de Beethoven.

Il faut bien ouvrir les yeux, cela va sans dire, en toute connaissance de cause, et non en aveugle. Pour mieux entrevoir ce coin de paradis que révèle souvent un grand vin à son éblouissante apogée.

LE PIÈGE DE LA DÉGUSTATION
AU TONNEAU

UN DE MES AMIS REVIENT d'une tournée des vignobles de France, assortie d'une trentaine de dégustations en cave, dans la plupart des régions vinicoles. Tout y a passé ou presque : la Champagne, la Bourgogne, l'Alsace, le Val de Loire, le Bordelais, et Jarnac dans la région de Cognac, où le seul « coup » qui se soit jamais donné, contrairement à ce que l'on croit, est celui du verre sur les lèvres. Celui qui a été retenu par l'histoire a été porté par Guy de Chabot, baron de Jarnac, à Saint-Germain-en-Laye le 10 juillet 1547, en présence d'Henri II, lors d'un duel qui l'opposait à François de Vivonne, qui reçut au jarret un coup loyal mais inattendu, mettant ainsi fin abruptement à ses jours.

De dégustation en dégustation dans les chais, influencé par le discours des maîtres de cave à la physionomie aimablement rubiconde, séduit par leurs discours fleurant bon le terroir et la vigne, le dépaysement aidant et l'euphorie allant grandissante, mon ami trouva excellents un nombre considérable de vins qu'il acheta sur-le-champ à des prix qu'il croyait dérisoires.

La première mauvaise surprise vint quelques mois plus tard lorsqu'il eut à acquitter les droits de douane de son arrivage. Car pour les Québécois, et pour l'ensemble des Canadiens, j'imagine, les bons petis vins à très bas prix, cela n'existe pas. L'État veille au grain et chaque bouteille qui franchit nos frontières est inexorablement frappée d'une panoplie de taxes et de redevances dont je vous épargnerai le savant calcul. Qu'il suffise de dire que la petite bouteille que vous aurez payée quinze ou vingt francs à la propriété, soit trois ou quatre dollars, vous reviendra en bout de compte entre quatorze et dix-huit dollars pièce. Foin donc des économies !

Une autre mauvaise surprise qui guette ce type d'acheteur, et non la moindre, c'est que le vin que vous aurez goûté dans l'euphorie d'une cave bourguignonne ou dans les chais impressionnants du Bordelais risque de paraître, rendu à domicile, d'une maigreur et d'une insignifiance que vous n'aurez pas décelées dans l'ambiance trompeuse de ces magnifiques caves qui vous en mettent plein la vue et le nez. En réalité, pour les professionnels eux-mêmes, la plus mauvaise forme de dégustation est celle que l'on pratique lorsqu'on visite les chais ou les caves de conservation. Si cela est vrai pour eux, que dire de nous, amateurs plus ou moins bien renseignés, apprentis-dégutateurs et collectionneurs en herbe ? « Il y a dans un chai, lit-on dans le livre de Peynaud, une telle richesse d'odeurs vineuses, une telle ambiance optimiste, qu'on se trouve pris dans un contexte olfactif capable de fausser toutes nos impressions. Malgré nos habitudes et quoi qu'on en pense, l'endroit où l'on déguste le moins bien est le chai. »

J'ai vécu cette expérience il y a quelque temps dans une cave bourguignonne où je fus invité à goûter au tonneau le millésime 1988 des Volnay, Chambolle-Musigny, Gevrey-Chambertin, Pommard, Pernand-Vergelesse, Corton et Romanée Saint-Vivant, si ma mémoire est fidèle. À vrai dire, je fus totalement incapable de différencier les uns des autres. À quelques nuances près, ils avaient tous le même goût, et je me serais planté de joyeuse façon si j'avais eu à décrire, fiche technique à l'appui, les caractéristiques de ces grands bourgognes qui ont chacun leur personnalité propre. Cela est déjà assez difficile pour un seul vin, dégusté chez soi ou au restaurant, de faire le tour de ces arômes primaires, secondaires et tertiaires et d'en apprécier toute la complexité, que dire alors d'une vingtaine ou d'une trentaine de grands crus alignés en barriques au fond d'une cave et dégageant une symphonie d'odeurs à faire damner tous les saints du ciel ? « Dans l'ambiance vineuse du chai de garde, nous confie encore Émile Peynaud, il est impossible de juger l'odeur propre du vin ; tous les vins paraissent bons parce que leurs défauts passent inaperçus et parce qu'on ne dispose d'aucun terme de comparaison. On est très surpris le lendemain, en goûtant le même vin au dégustoir, de le juger beaucoup plus sévèrement. »

Cela dit, il n'est pas dans mon intention de décourager ceux et celles qui auraient la louable intention de participer à des voyages organisés autour de la connaissance du vin. La visite des vignobles, l'accès aux procédés et aux méthodes de vinification et la dégustation en cave sont des passages obligés pour les amateurs et les amoureux du vin, désireux d'augmenter leur bagage de savoir pour tout ce qui touche au grand mystère de la vigne. Il faut seulement éviter le piège du tonneau, ne pas s'emballer trop vite, réfléchir avant de conclure une affaire ou, si vous êtes terriblement pressé ou en proie à une fièvre compulsive d'acheter, prendre au moins la précaution de sortir de la cave et d'aller goûter à l'air libre, loin des odeurs trompeuses, le vin qui fait l'objet de votre convoitise. De la sorte, vous vous offrirez une petite police d'assurance contre l'envoûtement inévitable des dégustations en cave et le langage parfois trop séduisant et berceur des hommes du vin.

LA PEUR D'EN MANQUER

Le Dr Champlain Charest, radiologiste à
Saint-Eustache et aubergiste-propriétaire du
Bistro de Champlain, à Sainte-Marguerite-du-
Lac-Masson, est le seul Canadien à être
auréolé de l'un des plus grands honneurs du
monde vinicole. La prestigieuse revue
américaine The Wine Spectator lui a en effet
décerné l'un des onze Grands prix de l'année
1988 pour la plus belle carte des vins des
restaurants du monde entier. Il partage cette
distinction avec La Tour d'argent et Taillevent
de Paris, de même que le Tandinh, restaurant
vietnamien de la Ville lumière qui possède, dit-
on, la plus riche collection de Pomerol au
monde. On pourrait se retrouver en plus
mauvaise compagnie...

Captivante histoire que celle de ce fou du
vin, né à Sainte-Hélène-de-Kamouraska le
25 mai 1931, au temps des vignes en fleurs,
bien que ce millésime n'ait produit rien qui
vaille. Après des études à Sainte-Anne-de-la-
Pocatière, à l'Université de Montréal et en
radiologie aux États-Unis, il s'associe au
Dr André Légaré et commence à pratiquer sa
profession à l'hôpital Saint-Luc. Ce dernier a
fait des études à Paris aux Enfants Malades et
raconte à son collègue Champlain le souvenir
de bonnes bouteilles dégustées là-bas.

C'est ici que l'histoire commence vraiment,
vers les années 1964 et 1965. Champlain, nom
donné par sa tante en l'honneur de vous-savez-
qui, a 35 ans. Élevé dans une ferme du Bas-du-
fleuve, par des parents modestes, il a tout juste
bu quelques bouteilles de bière avant cet âge.
Il commence à rechercher dans les succursales

de régions des bouteilles oubliées dans des fonds de cave : des Pontet-Canet 1961 à 3,40 dollars, des Château-Lafite à 7,00 dollars et le reste à l'avenant.

« À cette époque, explique le Dr Charest, les bordeaux se vendaient moins. La mode était aux bourgognes, mais il était difficile de trouver de vieux millésimes. C'est dommage, parce qu'après avoir été pendant plus de quinze ans un amateur de bordeaux, je suis revenu depuis 1985 aux bourgognes. Un pinot noir bien fait, ça vaut toutes les jouissances du monde... »

En 1968, il rencontre Jean-Paul Riopelle à Paris et devient un inséparable du peintre québécois le plus réputé sur la planète. Jean-Paul n'a jamais craché sur une bonne bouteille ! Champlain rend visite trois à quatre fois l'an à Riopelle. La piqûre du vin est chose faite. Elle se transformera vite en passion.

« J'achète, j'achète, j'achète, raconte Champlain. Beaucoup de 1971. Des Richebourg, Grands Échezeaux, Vosne-Romanée, Bonnes-Mares, Musigny, j'ai toujours peur d'en manquer. À la ferme, nous n'étions jamais sûrs du lendemain. J'imagine que tous les collectionneurs vivent avec cette hantise. Je ne me limite pas aux vins. J'achète des tableaux, plus tard des voitures. Avec le résultat que je n'ai jamais un sou en poche. Tous les revenus de ma profession sont engloutis dans la folie du vin, de la peinture et des bagnoles. »

En 1974, il ouvre un bistro à Sainte-Marguerite, au nom prédestiné de Le Va-nu-pieds. C'est son ami Riopelle qui lui a donné l'idée du nom. On ne roule pas sur l'or et les temps sont difficiles. Les taux d'intérêt frisent les trente pour cent. C'est tout juste si l'on parvient à faire face aux exigences du service de la dette. La boîte est fermée en 1983. La faillite, la hideuse faillite montre le nez, entre les caisses de bordeaux 1975 (année dite du siècle!) et les Château Yquem du même millésime.

Nu comme un ver, Champlain Charest se retrouve en 1987 avec 1200 marques de vins dans sa cave, pour un total de 20 000 bouteilles. Sa fortune est là, engloutie dans le «pinard». Il décide de rouvrir cette fois sous le nom de Bistro à Champlain, à Sainte-Marguerite-du-Lac-Masson, une auberge où les amateurs de grands crus se pâmeront d'aise. Sa compagne Monique Nadeau y dirige les opérations de main de maître. Le Dr Charest n'abandonne pas pour autant sa pratique médicale. «Il faut bien payer les dettes, dit-il, contenter le fisc, faire tourner la boutique et surtout continuer à acheter. De peur d'en manquer!»

Cette fois, le départ est réussi. La cuisine, moyenne au départ, prend du galon. À ma dernière visite, le foie gras frais de canard poêlé accompagné d'un Château Yquem 1979, les aiguillettes de canard avec un Château Pétrus 1973, les fromages avec un Chambolle-Musigny 1978 (Pierre Arbinet) et un autre du même millésime signé Robert Groffier, et en guise de finale un sabayon illuminé par un champagne du Rédempteur Brut 1982 de Dubois Père & Fils, ont bouclé une expérience qui vous donne envie de la renouveler.

Comme on dit dans le guide Michelin, ça vaut le détour. À votre prochain passage, de-

mandez à visiter la cave. Vous y ferez provision de rêves pour des années à venir.

Pour s'y rendre :

Le Bistro à Champlain, sortie 69 de l'autoroute des Laurentides. Direction Sainte-Marguerite-du-Lac-Masson (12 km). Première maison à droite en arrivant au lac. Ouvert tous les jours à 17 h et les samedis et dimanches à midi. Il est prudent de réserver : (514) 228-4988.

V I

DOULCE
FRANCE
■

Boire sans soif et faire l'amour en tout temps,
Madame, il n'y a que ça qui nous distingue
des autres bêtes.

Beaumarchais

MON TOUR DE FRANCE,

LE VERRE LA MAIN...

JE ME SUIS FAIT MON propre tour de France au printemps 1990, à mon rythme de petite allure, chaque étape étant, vous l'aurez deviné, un producteur ou un négociant de vins avec lequel j'entretiens des rapports de joyeuse aménité et, accessoirement, de vulgaire commerce. Cinq semaines au total, de la mi-mai à la mi-juin, trois mille kilomètres de route dont un bon nombre dans les chemins vicinaux et les sentiers de vigne. Jamais la France ne m'a paru aussi belle, sous ce soleil de printemps. Et les vins aussi bons et prometteurs, si j'en juge par la récolte de 1989 qui s'affine patiemment dans les tonneaux de chêne de l'Allier ou du Limousin avant de passer à la mise en bouteille dans dix-huit, vingt-quatre ou trente-six mois et davantage, selon la noblesse des crus et les conseils du maître de chai.

QUE LA BOURGOGNE ÉTAIT BELLE !

Au risque de me faire taxer de chauvin et d'amoureux inconditionnel de la mère patrie, j'oserais affirmer que la Bourgogne en mai, avec ses collines vert tendre, ses coteaux de vignes en fleurs, ses petites églises romanes aux vieilles pierres chantant sous le soleil, est l'un des plus beaux paysages du monde. Tout y est mesure, apaisement, à hauteur d'homme, comme si un Grand Architecte avait intelligemment dessiné les contours d'un coin de planète destiné à recevoir les vignes qui font les meilleurs vins du monde. Je sais qu'il faut toujours se méfier des superlatifs, mais qui n'a goûté un grand vin de Bourgogne à son apogée ne connaîtra jamais la douceur de vivre et le plaisir de boire. Douceur de vivre à l'ombre de la roche de Solutré qui surplombe avec orgueil les vignes de Pouilly-Fuissé, douceur de vivre dans le village de Berzé-la-ville à la minuscule église romane égayée d'admirables fresques qui défient encore les ravages du temps.

Les Seigneurs Du Beaujolais

En plein cœur de la Bourgogne règne le Beaujolais, célèbre dans le monde entier, inimitable et gavroche, où règne le gamay noir à jus blanc. Vin de folie, de rire et de gaieté dans les appellations génériques, vin corsé, limpide, à la robe de rubis profond et au nez harmonieux aux arômes de fruits rouges dans les grands crus issus de vignes vieilles d'un demi-siècle et plus. Moulin-à-vent, Morgon, Juliénas, Chiroubles, Fleurie, chantent aux oreilles le vin de l'amitié dégusté au bistro du village en même temps que l'église égrène les douze coups de midi. Le patron est formel : 1989 sera la meilleure année depuis des décennies.

À l'exemple du légionnaire romain converti à la foi chrétienne qui donna son nom au cru de Saint-Amour, je suis de l'espèce des vocations tardives qui se sont réconciliées au fil des ans et de la sagesse avec le beaujolais. Cela est tout aussi vrai pour mon vieux compagnon de route depuis quarante ans, un ulcère au duodénum somnolant la plupart du temps, mais sujet à de brusques réveils lorsqu'il est agacé par des vins à fortes poussées d'acidité. Ce qui est très souvent le cas des vins nouveaux dont je ne suis pas un fanatique.

En revanche, les meilleurs crus du Beaujolais ne cessent de me racoler, surtout lorsqu'ils ont pris quelques années de bouteille. Je dois ma première et véritable initiation aux « seigneurs » du Beaujolais à Isabelle Mommessin, de la célèbre famille du même nom, qui me fit, au début de la présente décennie, les honneurs de sa table et de sa cave. Je pense notamment à un Moulin-à-Vent vieux d'une dizaine d'années, dont j'ai oublié le millésime, mais qui me reste en mémoire du palais comme une montée de sensations délectables.

Ces moments agréables ont remonté à la surface des souvenirs lors d'une dégustation technique des 10 crus du Beaujolais 1988, organisée par la Sopexa et le Comité interprofessionnel des vins du Beaujolais, à l'hôtel Château Champlain de Montréal.

Ils étaient neuf, mais ils sont maintenant dix depuis que la commune de Régnié-Durette, à quelques encablures de Morgon et de Brouilly, vient d'accéder au club exclusif des Seigneurs du Beaujolais. Mentionnons-les pour mémoire en les faisant défiler du nord au sud dans la direction de Mâcon-Lyon : Saint-Amour, Juliénas, Chénas, Moulin-à-Vent, Fleurie, Chiroubles, Morgon, Regnié, Côte-de-Brouilly et Brouilly.

Encore plus au sud, les appellations Beaujolais-Villages et Beaujolais tout court sont la roture de la région beaujolaise et provoquent parfois, avec le primeur des bonnes années, « l'éclat de rire de la table ».

Les millésimes 1988 et 1989 ont produit des raisins d'une qualité exceptionnelle, sans aucune trace de pourriture que l'on retrouve parfois dans les moins bonnes années. Dans l'ensemble, les récoltes ont gagné presque un demi-degré de teneur en alcool, ce qui rend leur potentiel d'évolution plus grand que le 1986 ou le 1987.

Contrairement aux idées reçues qui veulent que le beaujolais soit un vin qu'il faut boire tout de suite parce qu'il est inapte au vieillissement — ce qui est juste pour le vin nouveau, et à la limite, pour les appellations Beaujolais et Beaujolais-Villages —, il serait sage d'attendre une bonne année et préférablement deux pour la plupart des crus de 1988 et 1989. Nous avons la mauvaise habitude, je le répète à escient, de boire nos vins trop jeunes. Le voyage les fatigue, tout comme il le fait pour les êtres humains, qui doivent s'accorder quelques instants de repos après des randonnées au long cours. Je veux bien croire que les techniques de transport se sont considérablement améliorées depuis une dizaine d'années grâce aux containers à température contrôlée, mais il restera toujours le « bardassage » que subit le vin du chai au camion, du camion au bateau, la traversée de l'Atlantique, et le même cirque recommencé au point d'arrivée jusqu'à la mise en place dans les magasins.

De cette dégustation des crus du millésime 1988, j'ai gardé une préférence pour le Moulin-à-Vent de la maison Sarrau qui supportera aisément quatre à cinq ans de bouteille, le Chénas de la maison Loron, à la charpente tanique tout aussi intéressante et le Morgon de Gobet, étoffé, puissant, susceptible de s'assagir après trois ou quatre ans de repos en cave.

Les autres crus issus du millésime 1988, fort agréables, Brouilly, Juliénas, Saint-Amour, Fleurie, Regnié et Chiroubles, pourront, à mon très humble avis, être consommés un peu plus tôt.

Ces vins sont encore en vente dans les succursales de la S.A.Q. Ils ne sont pas donnés, mais pour les amants des crus du Beaujolais et de la diversité du gamay, c'est là un sage investissement.

LA VALLÉE DU RHÔNE

Plus au sud, le Rhône et ses côtes, gavées de soleil, ses pierres chaudes où la syrah, le grenache et le cinsaut, cherchent désespérément un peu de fraîcheur dans les entrailles des collines. Au nord comme au sud de la vallée du Rhône, dans les petites appellations comme dans les grandes, la récolte de 1989 a produit des vins robustes pour lesquels il faudra attendre quelques années avant d'y retrouver rondeur et finesse. Mais quels délices anticipés avec la perdrix, l'orignal ou le chevreuil, par une pluvieuse soirée d'automne...

La Provence de Mistral

Halte de trois jours en Provence pour participer à la Foire des expositions à Avignon, aux Rencontres méditerranéennes de l'agro-alimentaire, où sont regroupés une cinquantaine de producteurs des Coteaux d'Aix-en-Provence, de Bandol et de Costières du Gard. Ces appellations, encore peu connues au Québec, exception faite peut-être pour le Bandol, commencent à prendre du galon. Importé du Bordelais, le cabernet sauvignon prend la couleur du pays provençal, accompagné de la syrah, du grenache ou du cinsaut. Le premier apporte la finesse et l'élégance, les deux autres, la structure et le corps. Les blancs, mélange de sauvignon et d'ugni, sont pour la plupart admirables de fraîcheur. Les rosés, qui ont fait jusqu'ici la réputation de la Provence, sont de mieux en mieux faits à partir des cépages syrah, cabernet sauvignon, grenache, cournoise, clairette et bourboulenc, dans des proportions qui demeurent le secret jalousement gardé des maîtres de chais.

Aux Rencontres méditerranéennes d'Avignon, l'on sait gré à la Société des alcools du Québec d'avoir délégué un directeur adjoint du service de la Sélection des produits qui accompagnait une bonne dizaine de représentants en vins du Québec. Il est à prévoir que la gamme des vins de Provence offerte au public québécois s'élargira quelque peu, d'autant que le rapport qualité-prix de ces produits est tout à fait exceptionnel.

Quelle joie, après le dur labeur de la dégustation, de renouer avec le pays de Mistral ! Nîmes et sa Maison carrée, Arles et la Place du Forum, le Palais des Papes à Avignon, le Pont du Gard, Aix-en-Provence et le Cours Mirabeau, les garrigues aux odeurs de thym et de lavande, le soleil dont nous sommes tellement privés au Québec et qui là-bas se répand jour après jour avec tant de générosité. On a presque envie de s'enraciner ici et de suivre l'exemple du paysan de Giono qui allait à l'essentiel en plantant des arbres.

En bout de ligne, Bandol et ses vignes qui regardent la mer. Le coin de France qui bat tous les records d'ensoleillement avec ses trois cents jours et plus. À faire rêver. Là aussi, les vignerons font de belles réussites. Le rouge d'un seul cépage, le mourvèdre, à la robe rubis foncé, aux reflets violacés, au nez intense et fin d'arômes de truffe et de sous-bois, au potentiel de vieillissement extraordinaire. J'en ai « le vin à la bouche » lorsque je consulte l'accompagnement idéal des mets : civet de sanglier, lapin à la moutarde, selle d'agneau au romarin, viandes rouges en sauce... que sont mes calories devenues ! Dans l'appellation Bandol, certains producteurs vinifient des rosés qui peuvent tenir le coup pendant cinq à sept ans et qui se bonifient en vieillissant sans perdre la fraîcheur de la jeunesse et leur robe de pucelle.

Le temps s'est arrêté, le soleil brille et le silence est total, exception faite de ces maudits scooters des mers, rejetons tout aussi bruyants que nos motoneiges qui envahissent l'un des plus beaux littorals du bassin méditerranéen. Il n'est pas question de quitter ces lieux d'agréable douceur de vivre sans avoir goûté, au soir couchant, en guise d'accompagnement d'un loup superbe grillé au fenouil, au fameux rosé de Bandol.

Le rosé que j'ai devant moi est de couleur rose « dentelle », qui me rappelle celle de nos truites saumonées avant qu'elles ne passent à la poêle à frire. Le nez est fin, d'une intensité florale de pêche, de fruits exotiques et d'agrumes. Au goût, il est en même temps vif et gras, et la finale en bouche, légèrement citronnée, est exceptionnellement longue pour ce type de vin. Sur les conseils du patron, je le bois à environ 12 degrés Celsius et je n'ai pas à m'en repentir. Autrement, une température trop froide (de 6 à 7 degrés) l'aurait « cassé » et abîmé. Je me rends compte encore une fois que les bons vins blancs et les bons rosés ne gagnent pas à être servis frappés. Seul les ordinaires et les médiocres doivent être servis de cette façon, pour camoufler leurs défauts ou leur absence de caractère.

SALUT RIVESALTES !

En route pour le Bordelais, je devais faire halte dans la région de Perpignan où l'on produit, à Rivesaltes, Banyuls et Maury, des vins doux naturels (VDN) qui retiennent de plus en plus l'attention des amateurs. Les muscats au premier chef, fort agréables à l'apéritif, mais surtout ceux qui ont dix à quinze ans d'âge, vinifiés à la manière des portos, mais en plus léger, les seuls, dit-on, capables de se mesurer avec un dessert au chocolat dont l'incompatibilité avec la plupart des vins est notoire.

Mais je devrai faire faux bond et passer outre le pays où j'ai déjà dansé la sardane. Je m'étais pourtant promis de faire ce voyage à petit train de sénateur sans me soucier du temps qui passe, mais le pays bordelais m'attend et j'aurais mauvaise grâce de rater le prochain rendez-vous au Château de Marbuzet. Salut Rivesaltes, ce sera pour la prochaine fois.

LA VRAIE VIE DE CHÂTEAU...

Pour la plupart des Québécois, qui ne connaissent des «châteaux» que le Frontenac ou le Champlain, la vraie vie de château est une expérience à faire au moins une fois dans sa vie. À Marbuzet, avec cette ponctualité qui faisait la délicatesse des rois, les frères Prats m'accueillent aux marches du palais et me font les honneurs de la propriété. Petits-fils de Henri Ginestet, ancien propriétaire du Château Margaux, et l'un des plus grands noms du vignoble bordelais, Bruno, Jean-Marie et Yves Prats gèrent depuis 1971 leurs magnifiques vignobles médocains de Cos d'Estournel et Château de Marbuzet, en plus de proposer au négoce le Maître d'Estournel en bordeaux générique.

Le château de Marbuzet, de style Louis XVI, est, avec Cos d'Estournel, l'un des plus beaux ornements du Bordelais. Il faisait jadis partie des biens d'Alexandre de Ségur, le « prince des vignes », avec le Château Lafite et le Château Latour. Excusez du peu !

Le dîner intime à Marbuzet s'ouvre avec une coupe de champagne Taittinger. Le Maître d'Estournel de l'excellent millésime 1989, moitié sémillon, moitié sauvignon, accompagne fort honorablement une alose grillée à l'oseille. Avec le gigot d'agneau et sa garniture saisonnière, le Cos d'Estournel 1973 fait mentir la petite réputation de ce millésime. Le vin a bien évolué, les tanins sont souples et fondus, avec un rien de légèreté qui prépare l'estomac pour le millésime 1966 qui suivra bientôt avec le plateau de fromages.

Le choix des vins en accompagnement des plats est un grand art. Je me retrouve ici à une table de maîtres. Tout est simplicité, finesse et distinction. Les frères Prats pourraient en mettre plein la vue et la bouche mais il y a chez eux une réserve toute naturelle que l'on prendrait presque pour de la timidité, mais qui n'est en réalité que l'expression de la politesse et du bon goût. Je reviens au Cos d'Estournel 1966, véritable splendeur, à l'égal des plus grands crus du Bordelais. Puissance, concentration, complexité, tout y est et rien ne manque. Je comprends le panel de dégustation du réputé marchand de vins de New York, Morrel, qui plaçait récemment le Cos d'Estournel 1986 au rang de troisième meilleur vin du monde, loin devant des crus plus réputés et drôlement plus chers.

Le Château de Marbuzet 1982, deuxième vin de Cos d'Estournel, classé Grand Cru Bourgeois Exceptionnel, qu'il me sera donné de déguster le lendemain, est lui aussi à la hauteur de sa réputation, tout comme le millésime 1982 recherché par nombre d'amateurs. Le Marbuzet 1982 à l'équilibre élégant et à la structure de bon aloi fait honneur à la famille des Saint-Estèphe.

Du château de Marbuzet, l'on aperçoit le château Cos d'Estournel, construit par Louis-Gaspard du même nom, qui s'endetta jusqu'à l'os pour doter le Médoc de l'un des plus beaux sites viticoles au monde. D'un style exotique qui émerveilla Stendhal, avec sa célèbre porte provenant du palais du sultan de Zanzibar, cet ornement délicieux du paysage bordelais est le legs de la douce folie de Gaspard d'Estournel. Les frères Prats y effectuent des travaux de restauration qui leur coûteront les yeux de la tête mais qui témoignent de leur passion pour le vin, les hommes, la beauté et la suite du monde.

Ami lecteur, si vous passez par Bordeaux, ne ratez pas la visite du Cos d'Estournel, et faites-vous raconter par le menu l'histoire de Gaspard. Elle en vaut la peine et le détour.

Ces trois jours passés à Marbuzet et à Cos d'Estournel resteront parmi les plus beaux souvenirs de ce tour de France 1990 : les petits déjeuners au Château de Marbuzet, les conversations matinales avec Yves Prats — ancien doyen de la Faculté de droit de Bordeaux, amoureux des Québécois et du Québec où il a effectué plusieurs séjours —, les célèbres clochetons de Cos d'Estournel qui montent la garde en regardant la Gironde, les vignes à perte de vue qui portent déjà la promesse des prochaines vendanges, l'impressionnant cellier de Château Lafite. Tout ici est mesure, ordre, rigueur, comme si la longue présence anglaise dans ce coin de France avait laissé un peu de cette discipline qui fait si cruellement défaut au tempérament latin.

Du nord au sud de la presqu'île du Médoc, Saint-Estèphe, Pauillac, Saint-Julien, Listrac, Moulis, Margaux, on n'en finit pas de rêver devant cette enfilade de châteaux opulents et cossus, admirables monuments de pierre élevés à la gloire d'une bourgeoisie tranquille et besogneuse.

UN MENU... FRUGAL !

Invités à déjeuner par un producteur de Moulis, ma femme et moi allions vivre une expérience mémorable. Nous étions convenus de manger « à la fortune du pot », ou comme on dit plus communément chez nous, « sans façons ». À l'apéritif, un Anjou 1947, moelleux à souhait, avec toast de foie gras frais, histoire de se faire l'estomac. En guise d'entrée, une portion monumentale de foie gras chaud au sauternes, suivi d'un magret de canard saignant accompagné d'un Moulis 1934. Fromage de chèvre chaud sur toast et charlotte aux fraises complètent ce menu... frugal! La maîtresse de maison avait oublié la charlotte au congélateur. Spatule, couteau, scie à découper, la charlotte résiste à tous les assauts. Je propose gentiment à notre hôte une tronçonneuse Black & Decker... « J'ai divorcé d'avec ma première femme pour moins que cela », dit ce dernier à sa femme éplorée, sur un ton de tendresse qui déclenche les rires de la joyeuse compagnie.

Ma femme avait l'intention de visiter le Musée des beaux-arts de Bordeaux dans l'après-midi. Dans la voiture, nous nous sentons comme des cochonnets, prêts au sacrifice. Demi-tour, arrêt au centre commercial pour faire provision de Vichy Saint-Yorre et de Normogastril à la pharmacie. Retour à Marbuzet, loin des musées, coucher à cinq heures de l'après-midi, symphonie de rots dans la chambre... Je songe aux repas gargantuesques de nos vingt ans. Que diable sont nos estomacs devenus ?

LE BASE-BALL À SAINT-ÉMILION !

Sur la rive droite de la Dordogne, à quelque trente kilomètres de Bordeaux, de nouveau le pays des grands vins rouges Ausone, Pavie, Canon, Cheval blanc, qui ont fait la renommée de Saint-Émilion. Et que dire de l'inaccessible Pétrus en Pomerol ? Le Dr Christian Dauriac et sa femme Anne-Marie, également médecin, nous font les honneurs des lieux. Comme tous les enfants du monde, Nicolas et Nathalie jubilent: « Chouette ! de la visite ! » Au souper, un Château Pétrus 1971 nous rappelle l'existence d'un Grand Horloger qui préside au destin du monde. Au Québec, quelques semaines plus tard, devant une vingtaine d'amis, Christian Dauriac commentera une dégustation de son Château Destieux dans les millésimes 1987, 1986, 1985, 1984, 1983 et 1978, avec une réserve, une simplicité et une retenue fort appréciées des participants. Le lendemain, Nicolas (10 ans) couvrira son père de honte en effectuant un meilleur parcours que lui au golf. Les Dauriac retourneront dans le Bordelais, gants, bâtons, balle de base-ball dans leurs bagages. Les vignes de Saint-Émilion verront pour la première fois de leur vie une balle de base-ball siffler au-dessus de leurs têtes, père et fils s'initiant à ce jeu dont je doute qu'ils aient compris quelque chose pendant leur bref séjour. À chacun ses traditions : la vigne à Saint-Émilion et le base-ball à Montréal...

RÉCONCILIATION AVEC LE COGNAC

Comme beaucoup d'entre nous, j'avais abandonné le traditionnel cognac de fin de repas depuis des lunes, jusqu'à ce que Pierre Voisin, producteur du Léopold Gourmel, me fasse revenir en amitié avec cette « liqueur des dieux » et surtout, m'apprenne à le déguster correctement. Comme quoi, l'on apprend à tout âge. Le cognac ne se boit ni cul-sec « à la russe » ni directement du verre à l'œsophage — ce qui vous donnera une sensation désagréable de brûlure —, mais tout doucement, goutte à goutte, en imprégnant légèrement le palais et en mélangeant longuement cet élixir avec la salive avant d'ingurgiter. De la sorte vous découvrirez, si ce n'est déjà fait, le plaisir de déguster la meilleure eau-de-vie du monde.

Le producteur du Léopold Gourmel a la réputation d'être le plus scrupuleux, le plus attentif et j'oserais dire le plus « maniaque » de tout le pays charentais. Il proscrit formellement l'utilisation du caramel ou du boisé pour intensifier la couleur, et du sucre pour adoucir le goût. Au contraire, pour ne pas en masquer le goût original et pour préserver la délicatesse et la fraîcheur de l'eau-de-vie (même après 12, 15 ou 20 ans passés en fût), la prise des tanins est attentivement surveillée.

Bousculant toutes les idées reçues, Pierre Voisin affirme avec compétence et autorité « qu'un vieux cognac pur n'est pas très foncé. La robe est or pâle à l'âge d'un Napoléon et or fin à celui d'un X.O. (extra vieux) ». Ses propos sont aussi clairs et limpides que son cognac. En bon élève, je m'initie au grand art de la fabrication du cognac, des vendanges à la distillation, et surtout au *temps de réduction*, phase consistant à abaisser sur plusieurs années le degré d'alcool.

Je n'en aurai donc jamais terminé avec cette France aux richesses inépuisables, aux régions si diverses et aux sols patiemment travaillés depuis des millénaires, aux travaux ancestraux qui viennent du fond des âges comme aux techniques nouvelles de la modernité ? Oui, j'ai encore beaucoup de choses à découvrir des hommes et des femmes de ce pays qui contribuent encore aujourd'hui, à travers le grand art du boire et du manger, à renforcer cette chose indispensable à tout être humain et qui s'appelle la qualité de la vie.

AU PAYS DE LA DOUCEUR

DE VIVRE

CE N'EST PAS TOUS LES jours qu'il nous est donné d'ouvrir la «bouteille du siècle», tel grand cru d'une année exceptionnelle qu'il faut boire presque à genoux, la tête découverte, dans un silence monacal et une concentration digne des grands mystiques. La patience n'étant pas la vertu la plus répandue dans ce monde, on se lasserait vite, au reste, de ce genre d'exercice de spiritualité, auquel nous convient certaines bouteilles, qui ajoutent aux raisons de croire en l'existence de Dieu...

Exception faite de quelques rares moments bénis, nous buvons le plus souvent pour le simple plaisir d'accompagner un plat, sans chercher midi à quatorze heures, par rituel de bonne santé, et sans entrer dans une analyse pédante du ballon de blanc ou de rouge enfilé derrière la cravate.

En matière de consommation quotidienne, j'avoue avoir développé, appelons cela un penchant pour les vins du Val de Loire, le pays de la douceur de vivre tant célébré par les poètes et les romanciers, aussi bien du Moyen Âge qu'à la Renaissance, et jusqu'à nos jours. Peut-être cette région de France est-elle, plus que toute autre, chère à mes souvenirs : Ronsard, Du Bellay, Rabelais, cette chambre du château de Moncontour qui me fut attribuée naguère et où, paraît-il, Balzac écrivit *La Femme de trente ans,* le fantôme

Babolin poursuivant sa ronde nocturne dans les couloirs du château, les caves de Vouvray, l'abbaye de Bourgueil, les rillettes de Tours accompagnées de « bernache » — vin blanc de primeur pour estomacs solides —, le prieuré de Saint-Côme qui conserve à la fois les restes de Ronsard, mort en 1585, et une de mes paires de lunettes perdues en 1977 quand j'accompagnais Jean Garon présentant la candidature de Montréal comme ville hôtesse des Floralies internationales. Bref, il y a mille et une raisons qui font que le pays de la Loire occupe une place à part au royaume de mes émotions.

Mais, sous le rapport du vin, s'il est une région qui transcende toutes les autres, c'est la Loire : elle fixe encore des prix relativement raisonnables pour des produits qui valent, quand ils ne les surpassent pas, ceux de certains terroirs qui ont vu leurs prix atteindre des hauteurs vertigineuses, sous la triple poussée de la mode, de la surenchère et de la spéculation.

Rabelais y va peut-être un peu fort quand il fait remonter le vignoble tourangeau à Noé, nous évoquant cette liqueur qui a le pouvoir « d'emplir l'âme de toute vérité, de tout savoir, de toute philosophie ». Contentons-nous des mentions inscrites dans plusieurs documents du IVe siècle qui signalent la culture de la vigne comme étant l'une des activités principales de cette région, qui allait devenir la « résidence secondaire » des rois de France...

Une chose est certaine : le pineau blanc de la Loire, appelé aussi chenin, noble cépage s'il en est, a des siècles d'apprentissage derrière lui. Il nous donnera le Vouvray, en sec, demi-sec, moelleux et mousseux ; les Chaumes, Quarts-de-Chaume, Bonnezeaux, des Coteaux du Layon, aptes à devenir centenaires dans les grands millésimes, et dont les prix, pour les millésimes récents à la S.A.Q., sont très raisonnables. Et que dire du cabernet franc ou breton, cépage de prédilection des Bourgueil et Chinon, deux vins rouges de la Loire de plus en plus populaires au Québec, offerts à des prix de 10 à 12 dollars pour les génériques et à un prix un peu plus élevé pour les vins de propriété. Jolis vins de belle complexité, aptes au vieillissement, avec des arômes de fruits frais, de framboise, de cassis et de poivron vert dans leur jeunesse, puis fleurant bon la truffe, la réglisse et le cacao dans leur maturité.

Il y en a pour tous les goûts et tous les jours de la semaine, et plusieurs feront passer de beaux dimanches, pour peu que l'on se donne la peine de découvrir la richesse des vins du Val de Loire, fruits d'une longue tradition, aux terroirs diversifiés, aux sols de calcaire, de sable, de tuffeau, qui donnent à chacun la personnalité du coin de pays qui l'a vu naître et grandir.

J'imagine Balzac, verre en main, écrivant *La Femme de trente ans*, Paul-Louis Courrier, sa *Pétition à propos de villageois que l'on empêche de danser*..., Jules Romain, ses *Hommes de bonne volonté*, Rabelais son *Gargantua*, Ronsard son *Ode à la rose*, en regardant couler paisiblement le long fleuve tranquille de leur vie géniale, au pays de la douceur de vivre et du plaisir de boire !

VIVE LE CHAMPAGNE,

PAGNE, PAGNE !

CHAMPAGNE, VIN DES ROIS ou roi des vins, suggérait naguère un bon agent promotionnel de cette région de France, en même temps la moins comblée par le climat et la plus prestigieuse de tous les coins vinicoles de l'Hexagone. Mais il y a le revers de cette médaille. On a tellement voulu faire du champagne une classe à part, une sorte d'Olympe du jus de la treille, que le commun des mortels est porté à oublier qu'il s'agit d'abord et avant tout d'un vin, compagnon de table au même titre que les autres, et pas exclusivement un apéritif pour les réceptions de bonne tenue.

Revenons aux sources : pendant des siècles, le champagne a été un vin tranquille, c'est-à-dire non effervescent, destiné à la table du beau monde qui faisait ripaille dans Paris, un vin provenant d'une région située à une centaine de kilomètres et des poussières de la Ville-Lumière. Ce n'est qu'au début du XVIIe siècle que le moine Dom Pérignon eut la « révélation » que l'on pouvait emprisonner le gaz carbonique dans la bouteille par l'utilisation du bouchon de liège. D'expérience en expérience, de mélange en mélange, grâce à l'assemblage de raisins noirs et blancs issus du pinot et du chardonnay, l'on arriva aux vins de l'élégance et de la finesse que l'on connaît de nos jours.

Sans entrer dans le dédale des recettes d'assemblage — dont certaines sont jalousement conservées par les producteurs —, et des méthodes de vinification qui opposent farouchement les partisans du bois et ceux de l'inox, retenons que le vin de champagne est fait à partir des cépages pinot noir, chardonnay et pinot meunier, seuls ou avec d'autres. En d'autres termes, les vins de Champagne peuvent être faits à partir d'un seul cépage ou d'un mélange de deux ou trois dans des proportions variables.

Le répertoire des spécialités de la Société des alcools (Maisons, Salons des vins et succursales régionales) porte à peu près tous les grands noms des producteurs de champagne. Les prix varient de 30 dollars à 120 dollars la bouteille de 750 ml. Depuis quelque temps, on y trouve des petits producteurs qui ne bénéficient pas d'une publicité mondiale, mais font aussi de grands champagnes. Dans les récentes années, les millésimes 1982 et 1983 sont à rechercher. Il faudra attendre 1990 avant de boire le millésime 1985. Les années qui suivent, hélas ! 1986 et 1987 en sont de vaches maigres.

Ne réservez pas le grand vin de Champagne pour l'apéritif exclusivement. Il mérite mieux et plus que cela. Les recettes d'huîtres au champagne font fureur ; de même, certains bruts millésimés sont magnifiques avec un foie gras de canard poêlé ou un homard à la nage, tandis que l'on réservera les demi-secs pour les desserts pas trop sucrés.

Un dernier mot sur le vieillissement. Ne croyez pas les légendes selon lesquelles le champagne vieillit mal. Les blancs de 1976 et 1979 par exemple supporteront allègrement 10 ans de bouteille tandis que les noirs de 1985 fileront leur petit bonhomme de chemin pendant plus de 20 ans.

Consultez le lexique suivant afin que vous puissiez vous y retrouver un tant soit peu :

Blanc de blancs — Fait d'un seul cépage blanc, le chardonnay. Maintenant utilisé à toutes les sauces dans d'autres régions. N'est pas nécessairement une garantie de qualité.

Blanc de noirs — Même procédé que le précédent mais pour les cépages pinot noir et meunier.

Brut — Très sec. Absence ou faible proportion de sucre.

Crémant — Mousse moins que le champagne et forme une « crème » au-dessus du verre. Peut être de très grande qualité, mais souvent utilisé à tort et à travers. Ne pas confondre avec « Cramant », commune du sud-est d'Épernay, rare nom de crus de Champagne. Pour compliquer le tout, on peut trouver du crémant de Cramant.

Demi-sec — Moyennement sucré. Généralement servi avec les desserts.

Doux — Plutôt sucré. En voie de disparition.

Extra-sec — Prête à une jolie confusion. Moins sec que le « brut » mais plus sec que le « sec ».

Sec — Ne pas prendre à la lettre. Plus proche du demi-sec.

Étiquettes — Elles portent au bas, en lettres généralement illisibles ou cachées (se munir d'une loupe) les codes suivants : MA : marque anonyme ou marque d'acheteur. Marque subsidiaire. À prendre avec des pincettes. NM : négociant-manipulant, signifie que le produit a été champagnisé par la maison dont le nom apparaît sur l'étiquette. Il y en a de grandes (Dom Pérignon), des moyennes et des passables. RM : récoltant-manipulant, l'équivalent de « mis en bouteille à la propriété ».

Millésime — Seules les très bonnes années ont droit à l'inscription du millésime sur l'étiquette. Garantie que le vin a été fait à partir des raisins de l'année inscrite. À rechercher.

VOUS N'AUREZ PAS L'ALSACE
ET LA LORRAINE

J'AVAIS DIX ANS À PEINE tout au début de la Deuxième Guerre mondiale. À l'école primaire de Saint-Hyacinthe, j'appris avec mes camarades de classe une vieille chanson revancharde, symbole de la résistance de l'Alsace et de la Lorraine à l'envahisseur allemand :

Vous n'aurez pas l'Alsace et la Lorraine
Et malgré tout, nous resterons Français ;
Vous avez pu germaniser la plaine
Mais notre cœur, vous ne l'aurez jamais !

J'ai mis près d'un demi-siècle à comprendre que les Alsaciens pouvaient à la rigueur céder une partie de leur cœur à l'Allemagne en raison de leur langue et de leur culture, mais la moindre parcelle de leur vignoble, jamais ! Passe encore pour la Lorraine avec sa mirabelle et ses V.D.Q.S. des Côtes de Toul, vins à peu près inconnus en France et a fortiori dans le monde, mais l'Alsace, trois fois non ! Que serait, en effet, la France devenue sans son vignoble alsacien, dont les origines se perdent dans la nuit des temps, alors que sous la conduite de Jules César, les légions romaines envahissaient la Gaule. Ce dernier, qui s'y connaissait autant paraît-il en « pinard » qu'en stratégie guerrière, ne disait-il pas que le vin d'Alsace était « le meilleur des vins de Gaule » *(optimum totius galliae)* ?

S'étendant sur 120 km, du nord de Strasbourg au sud de Mulhouse, mais à peine plus large de 4 km, coincé entre les Vosges et le Rhin, le vignoble alsacien totalise 20 pour cent de la récolte des vins blancs français et compte, tenez-vous bien, pour près de 50 pour cent de vins blancs consommés à domicile par les habitants de l'Hexagone. C'est dire l'attachement sentimental de nos cousins d'Europe pour tout ce qui excède la «ligne bleue des Vosges» jusqu'au Rhin, frontière naturelle qui délimite à l'est les territoires des Gaulois et des Germains. Soit dit en passant, une promenade dans le vignoble alsacien par une journée ensoleillée de septembre ou d'octobre, tarte à l'oignon au déjeuner avec un riesling bien frais suivi d'un munster arrosé d'un gewurztraminer, une telle randonnée s'inscrira parmi les beaux souvenirs de nos voyages.

Au Québec, la consommation des vins d'Alsace est maigrichonne, sans que l'on sache trop pourquoi. Le total de 60 000 caisses, toutes appellations confondues, est inférieur à la production d'un seul Muscadet sur lie, ce qui me paraît disproportionné, compte tenu des prix relativement raisonnables fixés pour ces vins de haute tenue et de caractère si distinctif. Au contraire des autres vins d'appellation d'origine contrôlée (AOC) connus sous le nom de leur terroir, les vins d'Alsace portent le nom du cépage qui leur a donné naissance: le sylvaner, le riesling, le gewurztraminer, le pinot blanc, le tokay pinot gris, le muscat d'Alsace, le pinot noir (rouge ou rosé).

Les sylvaner, riesling et pinot blanc, bus frais et dans leur prime jeunesse, sont les compagnons de route obligés de la fameuse choucroute alsacienne, plat indiqué aux estomacs solides et aux robustes constitutions. Le gewurztraminer, le plus fruité et le plus épicé des vins alsaciens, se boit en apéritif avec le foie gras et termine un repas sur une note endiablée avec un fromage munster. Il est mon préféré avec la cuisine chinoise. Les palais délicats pourront le retrouver sous l'appellation Grand Cru, Vendanges tardives ou Sélections de grains nobles, tout comme les riesling, tokay pinot gris et muscat, à des prix plutôt élevés pour les Grands Crus (15 dollars à 20 dollars), relativement bas pour les Vendanges tardives (30 dollars à 40 dollars) et faramineux pour la Sélection de grains nobles (80 dollars à 100 dollars).

On produit avec le pinot noir, célèbre cépage de Bourgogne, des vins rosés, secs et délicatement fruités, de même que des rouges en très petites quantités, sorte de « curiosité » qui vaut parfois le détour. Le muscat d'Alsace est le plus sec de ce cépage qui donnera, au sud de la France, des vins doux naturels comme le Beaume-de-Venise, le Muscat de Frontignan ou de Rivesaltes, à la teneur en sucre beaucoup plus élevée. Dans le cas du Muscat d'Alsace, à l'arôme musqué et au fruité rafraîchissant, je le préfère en apéritif, tout fin seul, par une chaude journée d'été. Les cépages les plus corsés comme le gewurztraminer et le tokay pinot gris sont de longue garde dans les grandes années, telles 1971, 1976, 1983, et 1989. Dans ce dernier cas, la patience sera récompensée après cinq à dix ans de bonne garde, surtout dans les grands crus et les « vendanges tardives ».

Ne voulant pas être en reste avec leurs confrères de la Bourgogne et de la Loire principalement, les producteurs alsaciens se sont mis depuis quelques années à l'élaboration d'un vin mousseux fort agréable à partir des cépages pinot blanc et auxerrois et, dans une moindre mesure, du riesling, du pinot gris, du pinot noir, voire du chardonnay. Vinifié selon la méthode champenoise (deuxième fermentation en bouteille), le Crémant d'Alsace blanc peut être un Blanc de Blancs ou un Blanc de Noirs, alors que le Crémant d'Alsace rosé est fait exclusivement à partir du cépage noir. Les crémants d'Alsace, fruités et d'une délicate fraîcheur, sont malheureusement introuvables au Québec. Ils mériteraient de figurer au répertoire de la S.A.Q. comme second choix après les champagnes, dont les prix ont une fâcheuse tendance à s'emballer sans rime ni raison.

CROYEZ-LE OU NON !

Au hasard d'une visite en Champagne, un vieux vigneron me raconte qu'une bouteille, exposée à l'extérieur par une nuit de pleine lune, se retrouvait le lendemain avec un « goût de lune »... Des vêtements colorés exposés de la même façon passeraient à une grisaille épouvantable. Dans la même veine, les vins exposés trop longtemps aux fluorescents risqueraient de prendre un « goût de lumière »... J'ai des frissons dans le dos en pensant à tous ces vieux millésimes de grands crus qui reposent, dans les magasins de la Société des alcools, sous la lumière agressive des néons...

Yves Michaud

MONOPOLE
DE MES AMOURS !

■

Veux-tu que la vie repose sur une base solide ?
Veux-tu vivre affranchi de tout chagrin ?
Ne demeure pas un instant sans boire du vin.

Omar Khayam

FAUT-IL PRIVATISER

LA SOCIÉTÉ DES ALCOOLS ?

ON SE SOUVIENT DE la tentative de privatisation partielle de la Société des alcools du Québec aux dernières lueurs du gouvernement du Parti québécois en 1986. Quelques succursales furent l'objet d'une adjudication en bonne et due forme à des employés du monopole, à la suite d'une procédure d'une affolante complexité. Ne réveillons pas de douloureux souvenirs et laissons la justice faire son œuvre puisque cette ténébreuse affaire est toujours pendante devant les tribunaux.

Il n'empêche, n'eussent été des caprices de la fortune électorale, que le commerce des vins et spiritueux au Québec aurait pu passer du secteur public au secteur privé, sous un gouvernement à tendance étatique, alors qu'un gouvernement libéral plus porté vers la privatisation le maintient sous la coupe réglée de l'État. Ce ne sera pas la première fois, dans l'histoire des formations politiques, qu'un gouvernement de gauche fera une politique de droite et qu'un gouvernement de droite mènera une politique de gauche. Mais là n'est pas l'objet de notre propos.

Frotté depuis quelques années aux réalités du commerce de vins, pour ne pas dire le nez plongé dedans à longueur de jour, je n'ai pas encore arrêté mon opinion sur cette question qui refait surface depuis 1921, date de la création du monopole d'État sous le gouvernement libéral d'Alexandre Taschereau qui avait joué son va-tout en instituant la « Commission des liqueurs », au temps jadis du bilinguisme intégral et de la stupide Prohibition américaine.

Parler de privatiser la S.A.Q., cela s'apparente un peu au monstre du Lochness qui sort des brumes écossaises à intervalles plus ou moins réguliers. On en parle, puis on n'en parle plus ... jusqu'à la prochaine apparition. Le problème est à ce point complexe que de mémoire d'homme, je n'ai pas souvenance qu'aucun parti politique ait jamais inscrit cette mesure à son programme bien que cela fasse « populaire » et soit a priori tentant pour recueillir la manne électorale. Pour l'excellente raison, sans doute, qu'aucune étude vraiment sérieuse, si jamais elle est faite, ne concluera dans un sens ou dans l'autre.

La majorité des Québécois est généralement favorable à la privatisation parce qu'elle croit que le prix des vins et des spiritueux sera moins élevé si ce commerce est laissé au jeu de la concurrence et de la compétition marchande. En est-on absolument certain ? Une bouteille de vin qui coûte trois dollars à la S.A.Q. est revendue à environ neuf dollars dans ses succursales, soit trois fois le prix de revient. La S.A.Q., remettant bon an mal an à son actionnaire bien-aimé, le ministre des Finances du Québec, une somme de trois cent cinquante millions de dollars sur des ventes globales de un milliard de dollars, on peut logiquement conclure que les deux tiers du prix d'une bouteille sont attribuables à des dépenses incompressibles comprenant l'achat de la matière première, le transport, les taxes fédérales, l'entreposage, l'acheminement vers les succursales, le loyer des magasins et le salaire du personnel, pour ne mentionner que les frais fixes les plus importants.

Il reste donc, à première vue, un tiers du prix de vente dont pourrait profiter le consommateur, mais c'est aller vite en besogne. L'exploitation d'un commerce privé de vins et liqueurs ne sera mis en place ni pour vos beaux yeux, ni pour l'amour du vin, ni pour rendre service à l'humanité souffrante. Il sera lui aussi en quête de profits pour rentabiliser l'entreprise et obtenir un juste retour de l'investissement. Des 33 pour cent restants, il lui faudra en outre prélever un minimum de 20 à 25 pour cent pour éviter la faillite et la visite du syndic.

Au mieux, la part qui pourrait revenir aux consommateurs, sous réserve d'une gestion serrée des entreprises, serait de l'ordre de 8 à 10 pour cent. Voilà un bien maigre bénéfice pour un chambardement qui pourrait faire voler le Québec en éclats, mobiliser les centrales syndicales contre un gouvernement « satanique » qui oserait toucher aux droits acquis des travailleurs et les jeter dans la jungle du secteur privé, en plus d'inquiéter le ministre des Finances, qui ira de toute manière chercher dans nos poches les quelques sous économisés sur la bouteille de pinard.

J'ai une autre inquiétude. Est-on certain que la privatisation nous assurera la même diversité de produits que ceux actuellement offerts par le monopole d'État ? À cet égard, les Québécois sont choyés sans vraiment s'en rendre compte. Il y a peu d'exemples de par le monde où l'on puisse trouver des magasins par centaines répartis sur l'ensemble d'un aussi vaste territoire et offrant à la clientèle plus d'un millier de vins et d'alcools provenant de tous les coins de la planète.

En écrivant cela, je risque de passer à mon corps défendant pour un promoteur des monopoles d'État. Mais la vérité me force à dire que si la Société des alcools ne mérite pas tous les éloges, elle ne mérite pas non plus d'être accusée de tous les péchés dont on l'accable. Dans l'ensemble, la gestion de la S.A.Q. est saine et, pour une mauvaise décision — comme le refus d'importer du beaujolais nouveau il y a quelques années —, on doit dans l'ensemble rendre hommage à son fair-play, à ses initiatives louables de promotion commerciale, à son remarquable service de contrôle de la qualité et à son souci permanent de protéger le consommateur.

La situation est toutefois moins rose dans d'autres secteurs où l'on se débrouille tant bien que mal avec des méthodes remontant à Noé, dans un embrouillamini de contrôles paralysants et un matériel informatique qui supporterait d'être remis à neuf. À cet égard, il est à peu près temps que le Conseil du trésor dote la S.A.Q d'une banque interactive de données facilement accessibles. Cela est attendu depuis des années et ma sœur Anne ne voit toujours rien venir.

Un monopole d'État, quel qu'il soit, court toujours le risque de s'encrasser dans la routine, le laisser-faire et la «structurite» aiguë. À la S.A.Q., comme partout ailleurs, il faut constamment veiller au grain. Et puisque, de toute manière, les Québécois devront composer avec elle pour des générations encore, ils peuvent en toute légitimité lui recommander de redoubler d'efforts sur la voie de la transparence et de l'efficacité.

174

UN VENT DE RÉVOLTE

Un Vent de Révolte s'élève chez les consommateurs à la suite des trop fréquentes hausses du prix des vins et des liqueurs sans autre raison apparente ou cachée que la voracité du trésor public. Dans certains cas, comme pour les vins de consommation courante d'environ 10 dollars la bouteille, les majorations sont mineures ; dans d'autres, lorsqu'il s'agit par exemple des champagnes et des cognacs, elles peuvent excéder trois ou quatre dollars.

Ce qui est fort gênant dans ces augmentations de prix, c'est qu'elles ne s'alignent sur aucune loi du marché pratiquée par les économies libérales, tout en s'apparentant aux diktats des gouvernements totalitaires. Dans l'économie de marché, les prix sont déterminés par la loi de l'offre et de la demande. Or, dans le cas qui nous occupe, la demande des consommateurs ayant été un peu moins forte que prévue, les prix auraient dû normalement fléchir plutôt que d'augmenter. C'est pourtant le contraire qui s'est produit. Devant combler un manque à gagner d'une trentaine de millions de dollars environ sur un budget annuel d'un milliard, le monopole d'État a décidé, avec ou sans la recommandation pressante du gouvernement québécois, d'augmenter les prix à la consommation.

On aurait pu s'attendre à une pareille démarche des dirigeants du Kremlin du temps du stalinisme intégral, mais je doute qu'elle soit bien reçue à l'époque actuelle de la glasnost et de la perestroïka. Le monopole d'État et son propriétaire unique se conduisent comme s'ils voulaient gagner sur les deux tableaux. En d'autres termes, ils entendent appliquer les principes de l'économie libérale lorsque cela leur sied, mais y renoncer aussitôt que les règles jouent en leur défaveur. À l'évidence, il y a là un manque de fair-play et un sérieux accroc à l'éthique des affaires. Il n'y a pas de jeu propre lorsque le partenaire triche constamment.

Je le dis avec d'autant plus de regrets que je ne suis pas, l'ai-je assez dit, un zélote plaidant pour une privatisation à tout prix du commerce des vins et spiritueux. Mais lorsque ce dernier brûle avec sans-gêne ce qu'il a adoré et adore impudiquement ce qu'il a brûlé, renonce à se plier comme tout le monde à la règle du jeu, je sens qu'il y a quelque chose qui ne va pas au royaume de la S.A.Q. Ainsi, lorsque les ventes de mon commerçant de quartier fléchissent, il n'augmente pas les prix, mais se creuse la tête pour relancer ses affaires : soldes, promotions spéciales, clin d'œil à la clientèle, tout est passé en revue plutôt que de se résoudre à une majoration des prix qui accentuerait la débandade.

Si trente millions de dollars de redevances dans les prévisions font défaut dans le trésor public, c'est tout simplement que ces prévisions ont été exagérées et qu'il y a lieu de les réviser à la baisse. Le Conseil du trésor doit « faire avec » et ne pas refiler aux consommateurs les frais de son imprévoyance ou de ses mauvais calculs.

Dans des pays dont le degré de civilisation égale au moins le nôtre, il y a deux denrées que les gouvernements hésitent à taxer plus que de raison : le pain et le vin. Car il s'agit là de deux éléments indispensables à la tranquillité et au bonheur des peuples.

Que le monopole des vins et spiritueux au Québec soit depuis longtemps une vache à lait sacrée pour les finances publiques, je veux bien. Mais à trop presser le citron et à exiger des lois de la nature plus qu'elles ne peuvent donner, on encourt le risque de tarir la poule aux œufs d'or.

Le coq a déjà chanté plusieurs fois.

ILS SONT FOUS CES QUÉBÉCOIS !

Nous étions un peu plus d'un millier, il y a quelques semaines, entassés comme des sardines et sagement assis sur des chaises étroites pendant plus de quatre heures lors de la vente aux enchères de vins rares et prestigieux, organisée par la Société des alcools du Québec au Grand Hôtel de Montréal. Du beau monde, en vérité ! Les huiles du monopole d'État, comme de bien entendu ; Andrée Bourassa, femme de Robert, amateur de sancerre et de bons bordeaux — ce qui est tout à l'honneur du Premier ministre, bien qu'il préfère afficher son côté spartiate ; Steven Spurrier, président de la célèbre Académie du vin ; des acheteurs des monopoles voisins de l'Ontario et de la Nouvelle-Écosse ; des Américains, des Anglais, des Japonais, et nous tous, Québécois enfants de la « crise » ou du baby-boom, solidaires comme des mousquetaires dans l'amour du bon vin.

En observant ce cénacle d'amateurs sérieux, attentifs, les yeux rivés sur le commissaire-priseur et les oreilles pointées pour ne rien rater des lots mis en vente, Romanée-Conti, La Tache, Richebourg, Clos de Tart, Cos d'Estournel, Château Margaux, Yquem, Beychevelle, etc., je me disais dans mon for intérieur qu'une société qui aime à ce point le vin n'a pas à craindre pour son avenir.

Quelques heures auparavant, je déjeunais avec Jean-Paul Kauffmann qui me fit l'amitié de me remettre un des derniers et rares exemplaires de son livre *Le Bordeaux retrouvé,* un ouvrage hors commerce publié après sa détention à Beyrouth. Je vous en livre un extrait :

> *« Aller au restaurant, consulter la carte, choisir un vin m'ont appris non seulement ce que j'avais perdu mais aussi ce que j'avais oublié avant mon enlèvement. Ce sens de l'accueil et de la civilité qui donne à la liberté un goût inimitable, ce raffinement et ce luxe constituent sans doute des parenthèses dans l'existence d'un homme libre. Je n'en admire pas moins toute cette mise en scène, expression d'une société policée qui sait au moins l'espace d'un repas laisser sa violence au vestiaire. Je considère que le vin et la gastronomie sont l'un des derniers domaines "enchantés" de notre civilisation. »*

Ce petit livre de Jean-Paul Kauffmann m'accompagnait lors de la vente aux enchères. M'étant ruiné — ou presque — dans l'achat d'un lot de trois bouteilles de Château Beychevelle 1928 et ayant épuisé mon budget d'acquisition pour l'année en cours, je lisais, entre deux coups de marteau du commissaire-priseur, les magnifiques pages de Kauffmann, peut-être l'un des plus beau textes à avoir jamais été écrits sur le vin, par cet homme d'une douceur exquise que la fatalité a conduit jusqu'aux limites de l'innommable et du désespoir.

> *« Le vin n'est peut-être qu'un ornement de la liberté, poursuit-il, mais j'aime qu'il enjolive la mienne. Je ne prétends pas que l'usage du bon vin doive figurer sur la Déclaration des droits de l'homme, mais il est tout de même l'une des marques, l'une des distinctions de l'homme civilisé. Il me plaît que dans Gilgamesh, première légende connue de l'hu-*

manité, les anciens Mésopotamiens font commencer la civilisation à l'apparition du vin et des boissons fermentées. »

Pour tout dire, il est réconfortant de vivre dans une société qui compte un nombre assez impressionnant de « fous du vin » comme le Dr Champlain Charest, par exemple, avec ses 36 000 bouteilles, qui n'hésite pas à brûler 3 000 billets verts et plus pour un mathusalem de Romanée-Conti 1979. Et les autres, Bernard Lamarre, Jean-Guy Daudelin, Paul Leduc, Maurice Gadoua, Claude Lanthier, Jean-Pierre Léger (Rôtisseries Saint-Hubert), Maurice Veilleux, Michel Gilet (Les Chenêts), Jean Authier (La Pinsonnière, Cap-à-l'Aigle), pour n'en nommer que quelques-uns repérés dans la foule des participants.

Sur le millier de personnes présentes, 82 acheteurs se sont partagés la somme nette de 268 000 dollars de ventes, pour une moyenne de 3 200 dollars par acquéreur. Mais le fait que quelque 900 spectateurs et plus aient assisté à ce genre de spectacle sans rien acheter, pour le seul plaisir sans doute d'entendre décliner les plus beaux noms du monde, en révèle davantage sur la passion, l'intérêt et le sens critique qu'ont développés les Québécois ces dernières années à l'égard des vins de grande qualité. Nous sommes loin du Manoir Saint-David et du Royal-de-Neuville de nos ignorantes adolescences...

Avec cette expérience réussie, le Québec et la S.A.Q. prennent rang parmi les grandes capitales du monde qui se spécialisent dans la vente aux enchères de vins rares et prestigieux, après Londres, New York, San Francisco et Tokyo. Montréal, qui cherche tant à affirmer sa vocation internationale, se réjouira d'ajouter une nouvelle plume à son chapeau puisque pareil événement se déroulera désormais d'année en année. Que les amateurs en prennent note en planifiant déjà leurs achats.

À tout seigneur, tout honneur, distribuons des certificats de mérite aux autorités de la S.A.Q. — le

Dr Jocelyn Tremblay, président, Claude Marier, vice-président Affaires publiques et Daniel Farèse, directeur du service des Activités promotionnelles — pour cette exceptionnelle réussite. De façon générale, le monopole d'État est plus souvent à la peine qu'à l'honneur, et cela est normal pour toute entreprise de caractère public. « Sans la liberté de blâmer, disait Beaumarchais, il n'est point d'éloge flatteur. » Que les autorités de la S.A.Q. acceptent pour l'instant les roses en toute humilité, en se souvenant que les pots ne manqueront pas de suivre, un jour ou l'autre !

LE BEAUJOLAIS EST UNE FÊTE!

PARIS EST UNE FÊTE ET LE beaujolais aussi. La décision de la Société des alcools de ne pas importer de beaujolais nouveau en 1987, heureusement corrigée depuis, nous a privés de l'une des joies de la vie. Les hommes et les femmes de ma génération se souviennent de *Clochemerle* et de *Clochemerle Babylone*, de Gabriel Chevalier, où l'action se déroule dans un village fictif du Beaujolais. Les personnages, tous aussi truculents les uns que les autres, vous donnent envie de vous noyer dans le vin nouveau pour y oublier le tracassin de la vie quotidienne et les pépins de l'existence.

Je me suis souvent demandé, du reste, pourquoi les Québécois étaient, au prorata de leur population, parmi les plus grands consommateurs de beaujolais nouveau au monde. Comment expliquer ces longues files de clients qui font la queue devant les magasins de la S.A.Q., par les froidures de la troisième semaine de novembre, pour faire provision de ce vin de bistro léger, acidulé, ravi à sa terre natale en quelques jours pour être expédié dans le monde entier?

Snobisme, mode, coup publicitaire, ces raisons et tant d'autres valent ce qu'elles valent. Mais il y en a une, en ce qui concerne les Québécois, qui procède à la fois de nos traits culturels et de notre situation géographique. L'arrivée du beaujolais nouveau se faisant à la fin de novembre, j'ai l'impression qu'inconsciemment, avant le long hiver qui s'annonce, nous nous payons la mémoire de l'été.

C'est dans ce sens que le beaujolais nouveau est une fête. Le prix du transport aérien alors invoqué par le monopole d'État pour nous priver de ce moment de réjouissance est une piètre excuse, tout comme celle de nous offrir exclusivement des produits de substitution. Le pays de Clochemerle ne se copie pas, quels que soient les efforts déployés par la Touraine, le Rhône, l'Italie et qui sais-je encore pour prendre le train en marche.

Pour ces régions ou ces pays, il y a des siècles de retard à rattraper si l'on se rappelle que les ducs de Bourgogne, en guerre ou non avec Louis XI, ne manquaient pas de faire parvenir le vin nouveau du Beaujolais à la Cour de France, bon an mal an, chicane ou pas, barricade ou non !

Je dis tout cela avec d'autant plus de sérénité qu'à prix égal ou à quelques dollars près, ma préférence va aux grands crus du Beaujolais plutôt qu'au vin nouveau. Notamment au Moulin-à-Vent, au Morgon et au Chénas, qui ont une étonnante capacité de vieillissement. Le millésime 1983, par exemple, est une pure réussite, suivi du 1985 dont il reste çà et là, aux Maisons et Salons des vins et dans quelques bonnes succursales de la S.A.Q., des quantités plus ou moins importantes inscrites au répertoire des spécialités. Le 1983 a atteint sa plénitude, mais je laisserais une année ou deux de sommeil au 1985, dans de bonnes conditions, afin que Napoléon réussisse à percer sous Bonaparte...

LES INÉGALITÉS SOCIALES

La Fondation Cartier recevait dans le Bordelais le « Cercle des vingt », un club fermé à double tour inaccessible au commun des mortels. Elle n'y va pas de main morte lorsqu'elle reçoit. Avec le menu préparé par Gaston Lenôtre, voici les vins qui ont été servis :

• escalope de foie gras de canard : Château Climens 1928 et 1955 ;

• langouste bretonne aux senteurs de myrrhe : Richebourg 1959 et Chambertin 1949 de Leroy, et Bourgogne Vieilles Vignes 1929 de Bouchard Ainé ;

• pigeonneau de Bresse rôti à la goutte de sang : Château Latour 1961, Château Mouton-Rothschild 1951 et 1959, Lafite Rothschild 1953, Château Margaux 1949 et Cheval Blanc 1947 ;

• noisette d'agneau de lait : Château Lafite-Rothschild 1945 ;

• fromage de chèvre : Château Montrose 1883 et Château Cos d'Estournel 1878 ;

• vanille caramel et chocolat Le Nôtre : Château La Tour-Blanche 1876 et Château Yquem 1869 !

À la lecture de ce qui précède, je deviens de plus en plus conscient des inégalités sociales. Il n'y a pas de justice en ce bas monde...

Yves Michaud

VIII

ÉPILOGUE

■

Un bon vin possède une double vertu.
Il vous monte au cerveau, vous sèche les sottes
et mornes et âcres vapeurs... vous fait
l'entendement sagace, vif, inventif...
La seconde vertu du vin est de réchauffer le sang...
C'est du vin que vient la vaillance...

William Shakespeare

VII

BORDEAUX CONTRE BOURGOGNE

PAR

JEAN-PAUL KAUFFMANN

AU TÉLÉPHONE, JEAN-Jacques Brochier, rédacteur en chef du *Magazine littéraire*, avait d'emblée mis les choses au point. Le ton était grave : « Nous n'appartenons pas à la même famille. » Diable ! Quelle famille compromettante m'attribuait-il ? « Désolé ! Je suis "bourgogne". » D'une voix enjouée, il ajouta : « Je ne vous conseille pas d'en dire du mal. » Je vais essayer de suivre ce conseil, encore que je voie mal comment on peut bien parler d'une chose sans l'opposer à une autre. Bordeaux contre Bourgogne. Au fond, la vraie coupure de la France est dans cette opposition. Droite/gauche, tenants de l'économie libérale et partisans de la planification socialiste (à vrai dire, il n'y en a plus beaucoup), école libre/école laïque, ce ne sont que des antagonismes artificiels et récents. La vraie ligne de fracture de notre pays, c'est l'éternelle querelle entre Armagnacs et Bourguignons. Il n'y en a pas d'autres. Quand quelqu'un vous déclare : « Moi, je suis "bordeaux" », il n'y a plus rien à dire. On ne le fera pas changer. En politique, c'est plus facile. Je ne suis pas loin de penser que c'est dans cette distinction que les Français ont trouvé le secret de leur identité.

Il n'y a pas à discuter : le bourgogne est un vin bien français, Louis XI ne buvait que du Volnay. Louis XIV fut guéri en absorbant du Romanée-Saint-Vivant.

Napoléon ne prisait que le Chambertin, qu'il coupait d'eau. Le bourgogne correspond exactement à l'idée que les Français se font du vin et de son usage. La trogne rouge et la truculence rabelaisienne, les toiles d'araignée dans le caveau, les lettres gothiques sur les étiquettes garantes de la tradition et preuves de l'authenticité du vin : nous sommes bien chez les Gaulois. Le bourgogne est un vin terrien, continental, il est au cœur de notre pays, organe indispensable qui le réchauffe et le vivifie. Il appartient à notre histoire. Beaucoup de viticulteurs bourguignons se flattent encore de faire leur vin « à l'ancienne ». Une instinctive familiarité s'est créée entre les Français et leur vin, le bourgogne. Il convient bien à leur vieux fond paysan et sensuel. Toutes ces chansons à boire et cette abondante littérature bachique, où le vin est sans cesse comparé à la femme, sont pratiquement inexistantes dans le Bordelais.

Baudelaire se moque de Hoffmann qui établit une correspondance entre les vins et la musique. Il se gausse de le voir par exemple comparer la musique religieuse aux vins du Rhin et de Jurançon. Il approuve seulement l'auteur des *Contes fantastiques* quand ce dernier affirme que la musique héroïque ne peut se passer de vin de Bourgogne, lequel « a la fougue sérieuse et l'embrasement du patriotisme ». Bien sûr, aucune mention n'est faite du bordeaux.

C'est que le bordeaux n'est pas un vin français. Inventé par les Anglais, adoré des Hollandais, ce fut longtemps un « vin de l'étranger ». Entre le grand large et le continent, Bordeaux choisira encore aujourd'hui le grand large. Le bordeaux doit en effet sa fortune à son principal ennemi, l'eau. Sans eau, point de bordeaux. C'est à la proximité de l'océan, qui permettait d'acheminer le vin vers les ports anglais et les villes hanséatiques, que le bordeaux doit son existence. Le destin du bordeaux est sur la mer. Celui du bourgogne est sur la terre. Il est solide, minéral, statique. L'héritier de la tradition dionysiaque, c'est lui, le bourgogne. Il réjouit le cœur de l'homme.

Le bordeaux, caractérisé par l'ordre et l'équilibre, est apollinien. C'est un vin cérébral, il comble à la fois les papilles et l'esprit.

Pour survivre, le bordeaux a dû ruser, alors que le bourgogne s'est contenté d'être cette chaude présence dans les entrailles du pays. Au XVIe siècle les Bénédictins, propriétaires de Château Carbonnieux près de Bordeaux, vendaient leur vin au sultan de Constantinople, qui le prisait fort. Cependant, pour ne pas insulter le Coran, le vin lui parvenait sous le nom « d'eau minérale de Carbonnieux ». C'est en faisant croire au maréchal de Richelieu qu'il buvait des vins de Nuits et de Beaune que le président de Gasq, propriétaire de vignobles, lui fit aimer le bordeaux. À partir de cette date, les Français commencèrent un peu à s'intéresser à ce vin. Mais ils s'en sont toujours méfiés. Peut-être ce vin les impressionnait-il. Ce n'était pas pour eux. Ce n'est que tout récemment qu'ils ont reconnu ce rejeton bizarre qui a grandi aux flancs de notre pays. On n'en avait que pour l'aîné, le bourgogne. On leur dit parfois à l'étranger que le cadet est comme un surdoué. Les Français sentent bien qu'il leur échappe un peu, mais ils ont fini par l'adopter. Cependant ils n'aiment pas trop les cajoleries qui viennent des États-Unis ou de Grande-Bretagne. Les Français pensent que ce vin exagère. Il est vendu en France au cours du dollar. On aimerait bien qu'il choisisse une bonne fois pour toutes son camp. Justement, Bordeaux ne choisira jamais. C'est un vin qui joue sur les deux tableaux : dedans et dehors. Il joue même sur plusieurs tableaux. C'est sa vocation. N'oublions pas qu'à la différence du bourgogne, marié définitivement au pinot noir, le bordeaux est un vin d'assemblages. Entre le cabernet-sauvignon, le merlot, le cabernet franc et le malbec, qui sont des cépages pleins de disparité, il faut tirer un équilibre et une organisation parfaits.

Je ne parle ici que du vin rouge. Je reconnais pour l'heure la supériorité incontestable des vins blancs de

Bourgogne qui sont les plus grands de France. Mais, tremblez, Bourguignons, les Graves blancs arrivent à pas de géant, ils se préparent et pourront se mesurer à vous dans quatre ou cinq ans.

Pour les rouges, je demande à voir. D'ailleurs c'est tout vu. Pas besoin d'être un amateur éclairé pour goûter un bourgogne : ses parfums vous explosent au nez, ils parlent immédiatement à vos papilles. Je ne dis pas que le bourgogne est un vin qui accorde trop aisément ses faveurs, il a simplement le contact facile. Il est des êtres qui aiment se lier rapidement à autrui. Par tempérament, je me méfie de ces rencontres rapides où l'on offre d'emblée tout ce que l'on a. Est-ce à dire que le bordeaux est un vin réservé et même sévère ? C'est une légende. Parce que les propriétaires bordelais marquent une certaine retenue, on parle aussitôt de « froideur britannique ». Et l'on en déduit que les vins qu'ils font sont à leur image. D'abord le monde bordelais du vin est le plus hospitalier, le plus ouvert que je connaisse. Tout le problème vient du fait que ces propriétaires sont persuadés au fond d'eux-mêmes qu'ils font le meilleur vin du monde. Le pire est que c'est vrai. Cette conscience de leur excellence les paralyse beaucoup. D'où leur contention. L'admiration que leur prodigue l'univers les rend un peu timides. C'est qu'ils ne veulent pas être admirés mais aimés.

Leurs vins leur ressemblent beaucoup. Au début un peu introvertis. Le bordeaux ne se livre pas facilement. En sa jeunesse, il est souvent austère et même impénétrable. Le cabernet-sauvignon, cépage roi du bordeaux, affiche dans les premières années une raideur qui s'évanouit progressivement pour devenir finesse et élégance. Quand ses tanins ont consenti à fondre, il révèle sa véritable nature. À l'inverse du bourgogne, le bordeaux est davantage fait pour la bouche. Le bourgogne est un vin de nez, d'arômes. C'est lorsqu'on mâche un bordeaux et qu'on le brasse au creux de la langue qu'il donne toute sa mesure. Le bordeaux possède une trame, plus ou moins serrée selon l'année ou la qualité du terroir. C'est un vin tactile. Il faut le tâter, le palper, le caresser dans sa bouche pour le posséder et l'aimer. Il ressemble à ces froides héroïnes d'Hitchcock que l'on découvre soudain pleines de sensualité. Cependant le bordeaux obéit à des règles de conduite. Il demande un apprentissage, une approche, bref une initiation. Le bordeaux s'apprend. Avec le bourgogne, les Français ont l'impression de connaître le vin depuis toujours. Le bourgogne chez eux est inné.

Je crois que la supériorité du bordeaux réside dans la simplicité de son classement. Le système de classification des bourgognes est une œuvre d'art mais, comme toutes les œuvres d'art, il contient une part de mystère. Sa beauté est un vrai casse-tête. Le classement de 1855 du Médoc et du Sauternes, lui, a la force et l'évidence de l'ordonnance classique. Il est rare qu'un texte vieux de cent trente-quatre ans continue dans un pays aussi inconstant à faire autorité. Songeons au nombre de nos constitutions depuis un siècle et même, plus récemment, à la succession des hautes autorités de l'audiovisuel. Dans un pays où tout ordre ancien a pratiquement disparu, seul subsiste le classement de 1855. Plus que jamais il donne tout son sens et sa légitimité au vin de bordeaux et aux hommes qui le font. Les classements des graves et des saint-émilion, plus récents, procèdent de ce texte fondateur. Bien que contestée comme toutes les institutions, cette représentation des crus les plus prestigieux de la Gironde ne marque aucun signe de fatigue. Face au « néant du monde », le classement de 1855 est un « miroir de vérité », pour reprendre le mot de Saint-Simon. Dans le chatoiement et le mélange obscur de notre époque qui garde la nostalgie des préséances, les tables de la loi bordelaise sont armées pour l'éternité. Le bourgogne, avec plus de cent appellations différentes, est aussi complexe que le duché du même nom au temps du Téméraire. Avec cinquante et un hectares, le Clos Vougeot comporte quelque 90 parcelles réparties en 80 propriétaires. On ne construit rien de durable sur de telles subtilités.

« Sans morale il n'y a plus de vin de bordeaux ni de style. La morale, c'est le goût de ce qui est pur et défie le temps », affirmait le romancier Chardonne. Est-ce à dire que le bourgogne n'a pas de morale ? Il est plein de verve, c'est un vin qui chante le bonheur, un vin d'épicurien. Disons qu'il a le moral. C'est autre chose.

Magazine littéraire, octobre 1989

LES BONNES ADRESSES

Il existe plusieurs clubs gastronomiques ou confréries vineuses à Montréal et à Québec dont les activités vont des repas pantagruéliques aux cours sur les vins. Voici quelques bonnes adresses:

À Montréal

LES AMITIÉS BACHIQUES
C.P. 487 — Succursale Mont-Royal
Ville Mont-Royal (Québec)
H3P 3C7
(514) 342-7523

COMMANDERIE DE BORDEAUX
A/s Société Altbra
465, rue Saint-Jean, bureau 303
Montréal (Québec)
H2Y 2R6
(514) 288-3535

LES MÉDECINS AMIS DU VIN
7007, rue Giroux
Montréal (Québec)
H1J 2H2
(514) 273-4461

LES ŒNOPHILES
4135, avenue Verdun
Montréal (Québec)
H4G 1L2
(514) 766-6715

PROSPER MONTAGNÉ
1, avenue Spring Grove
Outremont (Québec)
H2V 3H8
(514) 272-4282

L'ORDRE DU BON TEMPS DE CHAMPLAIN ET
PONTGRAVÉ
505, boulevard René-Lévesque Ouest
15e étage
Montréal (Québec)
H2Z 1A8
(514) 866-9851

LES AMIS D'ESCOFFIER
8332, rue Lajeunesse
Montréal (Québec)
H2P 2E6

LES GOURMETS D'ESCULAPE
11799, rue de Tracy
Montréal (Québec)
H4J 2C1

L'AMICALE DES SOMMELIERS
55, rue Dubé
Granby (Québec)
J2H 2H7
(514) 871-9090

AMICI DELL'ENOTRIA
9452, avenue de Bretonvillier
Montréal (Québec)
H2M 2B1
(514) 381-0573

LA CHAÎNE DES RÔTISSEURS DE MONTRÉAL
201, rue Crémazie Est
Montréal (Québec)
H2M 1L4

LE CLUB DES SEIZE
1392, rue Jean-Talon Est
Montréal (Québec)
H2E 1S4

LA COMMANDERIE DES VINOPHILES
68, boulevard Saint-Joseph Ouest
Montréal (Québec)
H2T 2P4
(514) 288-1233

CONFRATERNITA DELLA BAGNA CAUDA
1430, rue Peel
Montréal (Québec)
H3A 1S9
(514) 849-5271

LA CONFRÉRIE DES FINES FOURCHETTES
8851, rue Lajeunesse
Montréal (Québec)
H2M 1R8
(514) 682-2225

LA CONFRÉRIE DES VIGNERONS DE
SAINT-VINCENT
2084, chemin Dunkirk
Ville Mont-Royal (Québec)
H3R 3K7
(514) 467-1562

LA CONFRÉRIE DU TROU NORMAND
C.P. 695 - Succursale B
Montréal (Québec)
H3B 3K3

LE CONSEIL DES ÉCHANSONS DE FRANCE
A/s Air Canada
Base 62
Dorval (Québec)
J4Y 1C1
(514) 636-2373

INTERNATIONAL WINE & FOOD SOCIETY
33, chemin Finchley
Montréal (Québec)
H3X 2Z6
(514) 487-2821

L'ORDRE DE LA DIVE BOUTEILLE
DE GAILLAC
928, rue de l'Épée
Outremont (Québec)
H2V 3P4

L'ORDRE DES DAMES
DE LA DUCHESSE ANNE
3845, rue Drolet
Montréal (Québec)
H2W 2L3
(514) 286-2448

LA GUILDE DES FROMAGERS
6116, rue Langelier
Montréal (Québec)
H1M 2B7
(514) 255-0948

LE LYCÉE DE LA VIGNE
5096, rue Labonté
Saint-Hubert (Québec)
J3Y 8E4
(514) 445-4550

LES AMIES DE LUCULUS
1440, boulevard d'Auteuil
Laval (Québec)
H7E 3J3

LES AMIES DE MADELEINE DECURE
3433, rue Stanley
Montréal (Québec)
H3A 1S2

LES AMIS DE BRILLAT-SAVARIN
750, boulevard Laurentien
Bureau 390
Saint-Laurent (Québec)
H4M 2M4

**LES AMITIÉS GASTRONOMIQUES
INTERNATIONALES**
314, rue du Ruisseau
Longueuil (Québec)
J4H 3Y1

LES CHEVALIERS DE LA TABLE RONDE
245, avenue Kensington
Westmount (Québec)
H3Z 2G9

LES COSTES DU RHÔNE
230, rue Saint-Thomas
Longueuil (Québec)
J4H 2Z9
Cel. (514) 951-5591

LES TIRE-DOUZILS
1355, rue Marie-Victorin
Laprairie (Québec)
J5R 1C8
(514) 659-0175

**ORDRE ILLUSTRE DES CHEVALIERS
DE LA MÉDUSE**
4371, rue Papineau
Montréal (Québec)
H2H 1T7
(514) 272-4282

À Québec

LA CONFRÉRIE DES VIGNERONS DE
SAINT-VINCENT
79, rue Gilbert
Lauzon (Québec)
G6V 1K1
(418) 837-9588

L'ORDRE ILLUSTRE DES CHEVALIERS
DE LA MÉDUSE
1803, 9 Jardins de Mérici
Québec (Québec)
G1S 4S8
(418) 647-3233

L'AMICALE DES SOMMELIERS DU QUÉBEC
Section de Québec
20, avenue Genest
Sainte-Pétronille
Ile d'Orléans (Québec)
G0A 4C0
(418) 828-9901 ou (418) 643-5786

LES ÉCHANSONS DE NOUVELLE-FRANCE
8650, rue Hauterive
Charlesbourg (Québec)
G1G 5A6
(418) 626-7792 ou (418) 843-7417

L'ORDRE DES FOURNISSEURS
DE LA BONNE TABLE
328, rue Newton
Québec (Québec)
G1K 7R2

LA COMMANDERIE DE BORDEAUX
1264, chemin du Moulin
Saint-Nicolas (Québec)
G0S 2Z0
(418) 831-1897 ou (418) 657-2485

LA CONFRÉRIE DU TROU NORMAND
a/s Samson, Bélair et associés
1, place Samuel-Holland
Québec (Québec)
G1S 4P2
(418) 626-8505 ou (418) 681-7231

LA CONFRÉRIE DES DISCIPLES DE BACCHUS
90, rue Drolet
Charlesbourg (Québec)
G2K 1J7

LA CONFRÉRIE DE LA CHAÎNE DES
RÔTISSEURS
3293, 1re avenue
Charlesbourg (Québec)
G1L 2R3
(418) 623-4667 ou (418) 623-9863

LA SOCIÉTÉ DES VINS AMÉRICAINS
3440, rue Vautelet
Appartement 304
Sainte-Foy (Québec)
G1W 4V8

LA SOCIÉTÉ DES CHEFS,
Section de Québec
Manoir des Érables
220, boulevard Taché Est
Montmagny (Québec)
G5V 1G5

LA CONFRÉRIE DES CHAMPAGNOPHILES
580, Grande-Allée
Bureau 140
Québec (Québec)
G1R 2K2

LE CLUB DES NEUF
1488, rue des Métairies
Ancienne-Lorette (Québec)
G2E 4J6

LE CERCLE DES VINS (20)
1145, avenue Fabre
Sainte-Foy (Québec)
G1W 4H2